S0-CFR-750

Berthold/Matern
München im Bombenkrieg

Eva Berthold/Norbert Matern

München im Bombenkrieg

Droste Verlag Düsseldorf

Abbildungshinweise:

Bavaria Verlag 70. Bayer. Hauptstaatsarchiv 26, 64, 75. BMW-Archiv 29. Droste-Verlag 3, 88. Benedikt Gruber 68, 69. Lutz Heck 35. Berta Himmler 58, 59. Hans Krahmer 4, 6, 7, 8. Herbert Kuntz 16, 17. Hans Schürer 11, 13, 14, 18, 24, 27, 38, 39, 40, 42, 44, 45, 46, 47, 48, 55, 57, 60, 61, 62, 63, 66, 67, 71, 72, 73, 76, 77, 78, 79, 87, 89, 90, 91, 92, 93, 94, 95, 96, 97, 98. Südd. Verlag 32. Stadtarchiv 1, 10, 25, 36, 37. und private Quellen.

Die Autoren sind zu Dank verpflichtet:

Dem Bayer. Hauptstaatsarchiv, München. Dem Stadtarchiv München. Der Staatsbibliothek München. Dem Erzbischöflichen Zentralarchiv München. Dem Landeskirchlichen Archiv, Nürnberg. Dem Turn- und Sportverein München von 1860 e.V. Dem Archiv des «Münchner Merkur». Der Pressestelle BMW. Der Pressestelle der Universität München. Den Augenzeugen des Buches. Diplomvolkswirtin Amai Matern für Recherche. Ulrich Matern für Recherche

Seite 2:
1 *München, damals. Dem Inferno entronnen.*

Sonderausgabe für Gondrom Verlag
GmbH & Co. KG, Bindlach, 1990
© 1983 Droste Verlag GmbH, Düsseldorf
Einbandentwurf: Helmut Schwanen
(Fotos: Stadtarchiv München [vorne] und Hans Schürer [hinten]
Lithos: Droste Repro, Düsseldorf
Gesamtherstellung: ZUMBRINK DRUCK GmbH, Bad Salzuflen
ISBN 3-8112-0690-7

Über die Autoren:

Eva Berthold, in Görlitz (Schlesien) geboren, Schauspielerin, Filmemacherin, Autorin, Film-Dokumentationen «Flucht und Vertreibung», «Kriegsgefangene im Osten», «Kriegsgefangene im Westen», «Kriegsgefangene Frauen». Hörfunk-Dokumentationen über Aussiedler, Ausgebombte und Görlitz. Bücher: «Kriegsgefangene im Osten», «Geflohen und vertrieben» (Mitautorin). 1982 Verleihung des Bundesverdienstkreuzes für ihre Dokumentationen.
Dr. phil. Norbert Matern, Jahrgang 1934, erlebte als Kind Flucht und Bombenkrieg. Studium der Geschichte, Germanistik und Pädagogik; Promotion mit einer Arbeit zur Geschichte des Parlamentarismus. 1959 bis 1970 gehörte er dem Presse- und Informationsamt der Bundesregierung an, das er als stellvertretender Leiter des Fernseh- und Rundfunkreferats verließ. 1970 bis 1975 Erster Redakteur in der Chefredaktion der Deutschen Welle und Leiter der griechischen und später der arabischen Redaktion. Vier Jahre Chef vom Dienst in der Chefredaktion Fernsehen des Bayerischen Rundfunks, dann Leitender Redakteur in der Hörfunkdirektion, jetzt Leiter des Schulfunks. Neben zahlreichen Hörfunkbeiträgen Aufsätze in Zeitungen und Zeitschriften zu historischen und aktuellen Themen. Mit Rudolf Mühlfenzl und Henric L. Wuermeling war er für die Fernsehserie «Flucht und Vertreibung» verantwortlich.

Inhalt

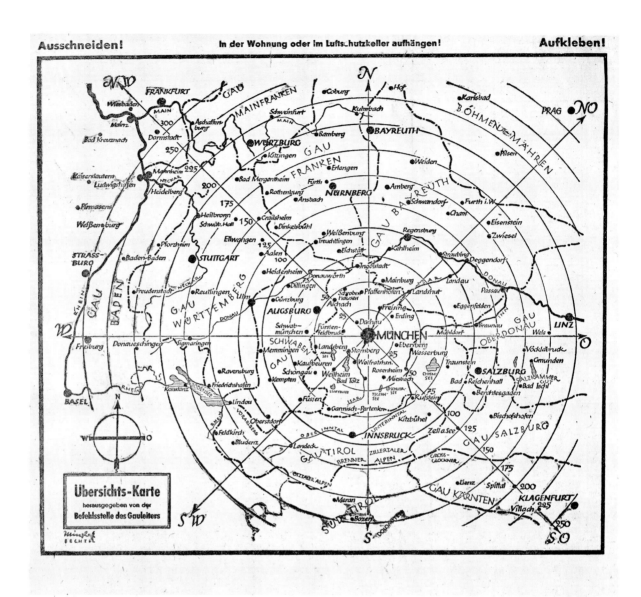

2 «Starke feindliche Kampfverbände im Anflug auf Tirol und Bayern»: Übersichtskarte zur Orientierung bei den Warnmeldungen des Draht-Funks.

1. Zivilisten sollen geschont werden

München heute, 11 Uhr. Auf dem Marienplatz drängen sich die Menschen. Die meisten recken die Hälse. Sie schauen hinauf zum Turm des Neuen Rathauses, wo zum weitklingenden Glockenspiel oben zwei Ritter erscheinen, die mit eingelegten Lanzen aufeinander zureiten. Um 21 Uhr wiederholt sich das Schauspiel, das immer wieder die Aufmerksamkeit der Münchner wie der Zugereisten und der vielen Touristen in der «heimlichen Hauptstadt Deutschlands» findet. Im fünften Stock des Peterhofes, der den internationalen Münchner

Presseclub beherbergt, gehen die Lichter aus. Dort ist es zum guten und geschätzten Brauch geworden, auch noch so heiße Debatten zu unterbrechen, um dem jeweiligen Gast den Blick auf das abendliche München und das viertgrößte Glockenspiel Europas zu gönnen. Selbst die abgebrühtesten Journalisten lassen sich immer wieder von diesen Szenen aus der Stadtgeschichte anrühren. Ritterliches Turnier auf geschmückten Pferden – wer denkt da schon an Krieg und Elend!

München 1940! Auf dem gleichen Rathausturm steht der zwanzigjährige Hans Krahmer. Seine Aufgabe ist es, den Anflug britischer Flugzeuge zu beobachten und über ein kleines Feldtelefon mitzuteilen, wo die tödliche Bombenlast niedergeht, welche Straßenzüge brennen, wohin die städtische Feuerwehr ausrücken soll. Mehr oder weniger ungeschützt steht er in schwindelnder Höhe. Oberbürgermeister Karl Fiehler dagegen sitzt mit seinen engsten Mitarbeitern im Rathauskeller und nimmt Krahmers Meldungen entgegen.

3 *Seit 1934 Pläne für den Ernstfall, im Bombenkrieg im kleinen Befehlsbunker unter dem Rathausturm: Karl Fiehler, Reichsleiter der NSDAP, seit 1933 Oberbürgermeister der «Hauptstadt der Bewegung».*

Hans Krahmer *als Rathausbeobachter*
«Ich war damals bereits 20 Jahre und habe mich gemeldet, um auf den Rathausturm zu gehen. Angst hatte ich nicht, denn ich habe einige Angriffe im Keller erlebt. Durch das ständige Herabrieseln des Putzes im Keller habe ich irgendwie ein mulmiges Gefühl bekommen und mir gesagt: ‹Da gehst du lieber auf den Rathausturm.› Das war für mich die Lösung, diesen Posten freiwillig anzutreten. Bei Tagesalarm war das einfach. Wir hatten im Rathaus eine Dienstwohnung. Ich war außerdem bei der Stadt München angestellt und arbeitete 1940 im ersten Stock in der Stadtkanzlei. So konnte ich bei Angriffen und Sirenengeheul in die Wohnung hinauffahren, und dort habe ich mir meinen kleinen Luftschutzkoffer geschnappt, in dem Verbandsstoff war. Dann waren noch die Ausweise drin. Ich bin dann vom vierten Stock mit dem Turmaufzug zum zweiten Balkon über der Rathausuhr gefahren – zu mei-

4 «Jeder Deutsche ist luftschutzpflichtig!» Hans Krahmer, Anfang Zwanzig, bei Luftangriffen oben im Rathausturm als Beobachter eingesetzt.

Der Oberbürgermeister
der Hauptstadt der Bewegung

Herr XXXXXX Hans Krahmer
geb. am 18.10.22 zu München
wohnhaft München 2, Neues Rathaus
handelt in Durchführung von Luftschutz-
aufgaben
(Sicherung ds.Verwaltg.Ablaufes)
Krankenhaus München rechts der Isar

im Auftrag der Stadtverwaltung München.
Alle Dienststellen werden ersucht, den Aus-
weisinhaber bei Durchführung seiner Aufgaben zu unterstützen.

München, den 1.Oktober 1943.
Der Oberbürgermeister
In Vertretung
Harben
Stadtrat

Gültigkeitsvermerk:

Gültig für das Kalenderjahr	Beglaubigt durch	
	Name und Amtsbezeichnung	Stempel
1943/44	Trav /städt.K.O.Sekr.	

Bei Luftangriffen als Rathausturm-
Beobachter eingesetzt.
4.10.1943

Dieser Ausweis wird vorzeitig ungültig, wenn
der Inhaber nicht mehr im Auftrag der
Stadtverwaltung im Luftschutz tätig ist.

* Beglaubigung kann nur durch
Dezernat VII Abt. Luftschutz
erfolgen.

6 «Ich konnte genau die Straßenzeilen feststellen, wo es eingeschlagen hatte». Blick über die Wein-, Maffei- bis Theatinerstraße mit der Salvatorkirche (links) und Theatinerkirche. Im Vordergrund die Gruft- und Schrammerstraße (Marienhof).

5 Verwalteter Luftschutz – ein Krieg ohne «Papiere» kaum vorstellbar.

Der Oberbürgermeister
der Hauptstadt der Bewegung

Herr/Frau/Frl. Krahmer
geb. am 18.10.22 zu München
wohnhaft Nunnigplatz 8
handelt in Durchführung von Luftschutz-
aufgaben
als Turmbeobachter
im Rathaus München

im Auftrag der Stadtverwaltung München.
Alle Dienststellen werden ersucht, den Aus-
weisinhaber bei Durchführung seiner Aufgaben zu unterstützen.

München, den 3 Juli 1944
Der Oberbürgermeister
In Vertretung
Harben

Gültigkeitsvermerk:

Gültig für das Kalenderjahr	Beglaubigt durch	
	Name und Amtsbezeichnung	Stempel
1943/44	Trav städt.K.O.Sekr.	
1944/45		

Dieser Ausweis wird vorzeitig ungültig, wenn
der Inhaber nicht mehr im Auftrag der
Stadtverwaltung im Luftschutz tätig ist.

* Beglaubigung kann nur durch
Dezernat VII Abt. Luftschutz
erfolgen.

7 «Unsere ausgebrannte Wohnung und das Soldaten-Räumkommando (320 Brandbomben). Links oben die zerstörte Oper.»

8 Blick auf Rathaus-Notdach und Wieder-aufbau des Domes.

nem Beobachtungsposten. Dort hatte ich ein kleines Telefon mit Handkurbel, das Verbindung zum Oberbürgermeister hatte, der mit seinen Leuten unterm Rathausturm in einem kleinen Bunker saß. Von da aus gingen dann die Leitungen zur Feuerwehr und Nothilfe.

Zumeist war es so, daß zuerst ein Suchflugzeug gekommen ist, das München bestimmt hat – dann kam der Flugzeugpulk nach. Ich konnte genau die Straßenzeilen feststellen, wo es eingeschlagen hatte, ob das in der Sendlinger Straße oder in der Sonnenstraße war. Man hat mir gesagt, ich soll stets den Mund offenhalten, damit meinem Trommelfell nichts passiert.

Dann fingen die Bombardierungen in der Nacht an. Zuerst kam wieder der sogenannte «Pfadfinder». Meistens war die Einflugschneise über der Theresienwiese. Dieses Suchflugzeug, das wir «Pfadfinder» nannten, zog einen Kreis um die ganze Innenstadt und warf seinen kleinen Fallschirm mit den Magnesiumfackeln ab. Und dadurch ergab sich ein taghheller Kreis. Es war dann so hell, daß man ohne weiteres oben auf dem Turm hätte eine Zeitung lesen können. Nach dem Abzug des Pfadfinders kamen die Bomberpulks. Ich stand geschützt zwischen den Säulen. Ich sah hinüber zum Alten Peter (Peterskirche) und merkte, daß oben die Haube brannte und plötzlich – mit einem fürchterlichen Krach zu Boden stürzte und am Rindermarkt zerschellte.»

Zwar hatte auch in München, wie überall in Deutschland, nicht erst nach Hitlers Machtübernahme das Reden über den Luftschutz begonnen. Der zivile Luftschutz war dem Reich schon durch die Pariser Luftfahrtvereinbarung vom 22. Mai 1926 ausdrücklich zuerkannt worden. Viele Regierungen hatten den Fragen für ihr Land Aufmerksamkeit zugewandt. Bereits in der Weimarer Republik war damit begonnen worden, Schutzmaßnahmen für die Bevölkerung in die Wege zu leiten. Im März 1932 war der Deutsche Luftschutzverband e. V. gegründet worden. Nach Hitlers Machtübernahme entstand im April 1933 der Reichsluftschutzverband e. V., der dem Reichsluftfahrtministerium in Berlin unterstellt war. Es folgte eine Fülle von Gesetzen, Verordnungen und Bestimmungen. Als es dann aber wirklich ernst wurde, zeigte sich sehr schnell, daß die getroffenen Vorbereitungen bei weitem nicht ausreichten. Hermann Göring, der später «Meier» heißen wollte, wenn auch nur ein feindliches Flugzeug über Deutschland erscheinen sollte, gab sich bei einer Rede am 14. November 1935 realistisch, als er sagte:
«Wenn wir eine Luftflotte noch so groß aufbauen würden, wenn wir an allen Ecken und Enden Zehntausende von Kanonen und Maschinengewehre aufstellen würden, so würde das niemals ausreichen, um dem deutschen Volk einen wirklichen Schutz zu gewähren, um die Volksgenossen vor den Folgen eines Luftkriegs zu bewahren.»
Vier Jahre später glaubte Göring – nicht ganz zu Unrecht – Befehlshaber der besten Luftwaffe der Welt zu sein. Er kannte die in allen Städten durchgeführten Luftschutzbestimmungen und hielt – gleich vielen anderen – massierte Luftangriffe für unmöglich. Zuversichtlich führte er daher in einer Ansprache am 9. August 1939 aus:

«Als Reichsluftfahrtminister habe ich mich persönlich von den Maßnahmen überzeugt, die zum Schutz des Ruhrgebietes gegen Luftangriffe getroffen worden sind. In Zukunft werde ich mich persönlich um jede Batterie kümmern, denn wir werden nicht zulassen, daß auch nur eine einzige Bombe auf das Ruhrgebiet fällt.»
Zu dieser Zeit besaß die deutsche Luftwaffe, wie der Militärhistoriker Alfred Price ausführt, über Tausend moderne zweimotorige Bomber, etwa die gleiche Zahl Abfangjäger vom Typ Messerschmitt Bf 109 und knapp 200 zweimotorige Messerschmitt Bf 110 Zerstörerflugzeuge. Es gab 197 schwere und 48 leichte Flakbatterien. Das Feuerleitradar mit dem Namen Würzburg war so gut wie entwickelt.
Der einzige gefährliche Gegner, mit dem die Deutschen rechnen mußten, war die britische Royal Air Force. Dem Bomber Kommando standen rund 300 moderne Maschinen zur Verfügung: Hampden, Wellington und etwa 100 vom älteren Whitley-Typ, die alle mit ihrer Reichweite tief in den deutschen Luftraum hinein konnten. Außerdem waren zum Anfliegen der peripheren Gebiete noch etwa 300 Blenheim Mittelstreckenbomber vorhanden. Dazu kamen rund 1000 Jäger – darunter moderne Spitfire und Hurricane.
Die Nationalsozialisten aber hatten nicht nur aufgerüstet. In einem im März 1936 veröffentlichten Memorandum wandten sie sich an die Weltöffentlichkeit und traten darin für ein generelles Verbot des Luftkrieges auf offene Ortschaften ein. Die deutschen Botschafter bemühten sich vergeblich um die Zustimmung der Regierungen, bei denen sie akkreditiert waren. Die NS-Führung schloß damit an frühere Versuche an, den Bombenkrieg auf Zivilisten international zu ächten.
Erstmals im Jahre 1907 hatte Artikel 25 der Haager Landkriegsordnung untersagt, «unverteidigte Städte, Dörfer, Wohnstätten oder Gebäude mit welchen Mitteln auch immer anzugreifen oder zu beschießen». Vierundvierzig Nationen hatten im Laufe der Zeit ihre Unterschriften darunter gesetzt. Dazu gehörten die USA, England, Frankreich, Rußland und Deutschland.
Nach den traurigen Erfahrungen im Ersten Weltkrieg versuchte dann um die Jahreswende 1922/23 eine Juristenkommission des Völkerbundes unter Teilnahme von Vertretern aus England, Frankreich, Holland, Italien, Japan und den USA, die Frage des Luftkriegsrechts zu klären. Der ausgear-

beitete Entwurf jedoch wurde von keiner der beteiligten Regierungen angenommen.

Abgelehnt wurde auch ein deutscher Antrag, der im Rahmen der vorbereitenden Abrüstungskonferenz des Völkerbundes eingebracht wurde und «den Kampfmittelabwurf aus Flugzeugen» verbieten wollte. Auf der Abrüstungskonferenz, die in Genf tagte, kam das Problem erneut zur Sprache. Die Delegierten wollten «absolutes Verbot jedes Luftangriffs auf die Zivilbevölkerung und eine Verpflichtung aller Staaten zur völligen Abschaffung des Brandmitteleinsatzes». Zu einem verbindlichen Beschluß kam es jedoch nicht. Vergeblich blieben auch ähnliche Bemühungen des Internationalen Roten Kreuzes.

Während die Diplomaten verhandelten, sorgten die Regierungen für den Auf- und Ausbau der Luftflotten. Erste Bombenangriffe auf Zivilisten fanden statt. Frankreich setzte 1925 Flugzeuge gegen aufständische Eingeborene in Marokko ein. England warf 1926 Bomben auf den Irak. 1936 luden italienische Flugzeuge im Abessinienkrieg Spreng-, Brand-, ja sogar Gasbomben über Zivilisten ab. Karawanen wurden aus Tieffliegern mit Bordwaffen beschossen ... Zum ersten Mal muß-

ten kämpfende Truppen zusehen, wie die Flugzeuge über sie hinwegbrausten und wehrlose, an Brunnen lagernde Menschen und Tiere aus der Luft angriffen. Die deutsche Luftwaffe beteiligte sich auf Francos Wunsch am Spanischen Bürgerkrieg. Maschinen der Legion Condor wurden bei der Bodenzielbekämpfung – wie es in der militärischen Fachsprache hieß – eingesetzt. Der Luftangriff auf die baskische Stadt Guernica wurde für die Weltöffentlichkeit zu einem Fanal.

Überall war das auch in den Münchner Zeitungen zu lesen. Aber, feindliche Flugzeuge über der «Hauptstadt der Bewegung»? – das hätte damals, trotz mancher Luftschutzvorbereitungen, kaum jemand für möglich gehalten. In den unter der Rubrik «Stadtverteidigung» abgelegten Akten im Münchner Stadtarchiv und in den verschiedenen Tageszeitungen ist bis ins Detail nachzulesen, wie von einer nationalsozialistisch gesinnten Stadtverwaltung erste Luftschutzmaßnahmen erwogen und dann intensiver durchgeführt wurden. Von der Reichsregierung in Berlin kamen immer neue Gesetze und Verordnungen, nach denen man sich auch in München zu richten hatte.

2. Jeder ist luftschutzpflichtig

«Jeder Deutsche ist luftschutzpflichtig!» So stand es schon ab 1933 in den Münchner Zeitungen. Welche Aufgaben waren dem Luftschutzpflichtigen übertragen? Wer leitete und organisierte dieses Millionenheer?

Die Durchführungsverordnungen von 1937 zum Luftschutzgesetz vom 26. Juni 1935 unterschieden fünf Bereiche, in denen auch in München bereits seit 1933 Luftschutz geprobt wurde.
– Der «Luftschutzwarndienst» sollte die Bevölke-

9 *«Bei jedem Luftangriff gehen Tausende von Fensterscheiben zu Bruch.» «Nützliche Winke» im Kriegsjahr 1944.*

Nützliche Winke
Fensterscheiben und Luftangriffe

München, 23. Mai

Bei jedem Luftangriff gehen Tausende von Fensterscheiben zu Bruch. Gegen diese ärgerlichen Schäden, deren Behebung meist geraume Zeit in Anspruch nimmt, kann man sich weitgehend schützen, wenn man folgendes beachtet:

1. Bei Doppelfenstern nehme man die Innenfenster heraus und lagere sie geschützt, also unter Betten und Schränken, hinter dem Ofen oder im Keller. Bei Zerspringen der Außenscheiben hat man dann sofort einen Ersatz durch Einhängen der Innenfenster.

2. Die Riegel der an ihrer Stelle verbleibenden Fensterflügel schließe man nur ganz lose, so daß sie schon bei einem geringen Druck auffliegen. Noch besser ist es, wenn man die Riegel völlig offen läßt und eine der in unserem Schaubild gezeigten Verschlußarten verwendet:

Bei Fenstern, die nicht regelmäßig zum Lüften geöffnet werden müssen, schlägt man in der Nähe des Riegels einen Nagel in den Fensterrahmen und dann den Nagel um den Fensterflügel krumm. Der Nagel darf nicht zu stark gewählt werden, da er sonst dem Explosionsdruck größeren Widerstand leistet als die Scheibe. — Bei Fenstern, die regelmäßig zum Lüften geöffnet werden, schlägt man ebenfalls einen Nagel links vom Fensterriegel ein und verbindet ihn mit dem Drücker durch eine Schnur bzw. eine Spirale. Wer noch reichlich Gummiringe zur Verfügung haben sollte, wie man sie zum Schließen von Einmachgläsern verwendet, kann auch diese nehmen. Alle diese Verschlüsse lassen sich zum Lüften leicht lösen und setzen dem Explosionsdruck nur soviel Widerstand entgegen, daß er die Fen-

sterflügel zwar aufdrückt, aber die Scheiben nicht zertrümmert.

Diese Methoden haben sich besser bewährt als ein bloßes Offenlassen der Fenster, bei dem die Scheiben meist zu Bruch gehen, wenn der Explosionsdruck die

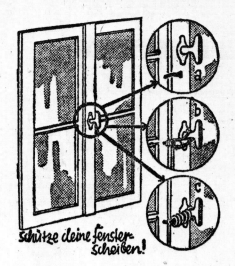

schütze deine Fensterscheiben!

offenen Flügel gegen die Mauer stößt. — Innerhalb der Wohnung lasse man die Türen aufgeklinkt und angelehnt, die Schäden sind dann im allgemeinen geringer, als wenn eingeklinkte Türen durch den Explosionsdruck aus dem Rahmen gerissen werden.

DPZ

10 «*Die Schüler … über das Verhalten bei Luftangriffen aufklären*»: *Luftschutz-Bastelbogen. Damals sollte er Kindern die Angst vor dem dunklen Keller nehmen.*

rung im Falle eines Angriffes rechtzeitig warnen.
– Die Aufgabe des «Sicherheits- und Hilfsdienstes» war es, bei Personen- und Sachschäden Hilfe zu leisten und für Ruhe und Ordnung zu sorgen.
– Der «Werkluftschutz» befaßte sich mit der Sicherung von Betrieben und deren Belegschaft.
– Private Gebäude und Personen wurden dem «Selbstschutz» überlassen.
– Lücken in «Werkluftschutz» und «Selbstschutz» mußte der «erweiterte Selbstschutz» füllen.

Für jeden Aufgabenbereich gab es gesonderte Gruppen, Verbände und Vereine, die speziell auf einem Gebiet tätig waren. Im «Werkluftschutz» war dies die «Reichsgruppe Industrie». Der Luftschutzwarndienst wurde von der Luftwaffe und später auch von freiwilligen Helferinnen ausgeübt. Für den «Sicherheits- und Hilfsdienst» war die Feuerwehr zuständig.

«Selbstschutz» und «erweiterter Selbstschutz» waren Sache der Bevölkerung. Sie wurde überdies in

13

ihren Bemühungen tatkräftig vom Reichsluft-schutzbund (RLB) unterstützt.

Der Reichsluftschutzbund war die größte im zivilen Luftschutz tätige Organisation. Seine Mitglieder waren vor allem Hausbesitzer, aber auch sonst am Luftschutz interessierte Personen, die ihn durch Spenden und Mitgliederbeiträge finanzierten.

Er klärte die Bevölkerung über die Gefahren aus der Luft auf und bereitete sie in Vorträgen, Lehrgängen und bei Luftschutzübungen auf den Ernstfall eines feindlichen Fliegerangriffes vor. Auch die Beratung staatlicher und städtischer Behörden und Ämter, sowie anderer Luftschutzorganisationen zählte zu seinen Aufgaben.

Bei der Mobilisierung der Bürger wurden sogar die Kinder nicht vergessen. So wurden Bastelbögen verkauft, die ausgeschnitten und zusammengesetzt einen Luftschutzbunker ergaben, in dem Puppen mit Gasmasken bewegt werden konnten. Spielend sollte den Kindern die Angst vor dem dunklen Keller und den Luftschutzgeräten genommen werden.

Der Reichsminister für Luftfahrt, Hermann Göring, sprach auf den groß angelegten Kundgebungen des Reichsluftschutzbundes und unterstützte diesen tatkräftig, wenn er werbend immer wieder betonte:

«Aufbau und Ausbau des Luftschutzes sind zur Lebensfrage für unser Volk geworden.»

Zur Unterorganisation des Luftfahrtministeriums wurden in den Fragen des Luftschutzes die Polizeibehörden. Die Polizeipräsidenten wurden somit Luftschutzleiter eines Luftschutz-Ortes und hatten die örtlichen Luftschutzorganisationen zu beaufsichtigen, für deren einheitliches Zusammenwirken zu sorgen und notfalls weitere, nicht organisierte Bevölkerungsgruppen für den Luftschutz zu mobilisieren. Seit der Veröffentlichung des Luftschutzgesetzes konnte sich den Aufforderungen des Luftschutzleiters kein Deutscher mehr entziehen, da «alle Deutschen ... zu Dienst- und Sachleistungen sowie zu sonstigen Handlungen, Duldungen und Unterlassungen verpflichtet sind, die zur Durchführung des Luftschutzes erforderlich sind».

So mußten Speicher entrümpelt, bei Um- und Neubauten besondere Luftschutzräume gebaut, Verdunklungsmaßnahmen vorbereitet und Lehrgänge des Reichsluftschutzbundes besucht werden. All dies mußten die luftschutzpflichtigen Deutschen aus eigener Tasche finanzieren.

14

Als am 24. Mai 1939 in Berlin die «Reichsluft-schutzschule» eröffnet wurde, gab es in den großen Städten Deutschlands bereits eigene Luftschutzschulen. So stand schon im Herbst 1934 in München in der Luisenstraße 29 ein «vorschriftsmäßig ausgebauter Schutzraum» zur Verfügung. Dort konnten anschauliche Einführungen in die Aufgaben des zivilen Luftschutzes gegeben werden.

Welchen Zweck die Luftschutzschulen eigentlich erfüllen sollten, verdeutlichte der Bericht des «Neuen Münchner Tagblattes» am 5. September 1938 über die Eröffnung einer Luftschutzschule in Pasing:

«... Ortsgruppenführer Frauenschuh gab seiner Freude Ausdruck, daß zur Erstärkung des Wehrwillens nun auch in Pasing eine Luftschutzschule eröffnet werden kann ...»

Es stand also die Nutzung solcher Schulungsorte zu Propagandazwecken im Vordergrund. Hierzu dienten auch zwei Luftschutz-Broschüren, die man für wenig Geld in den Luftschutzschulen kaufen konnte. Beide trugen den Titel: «Luftschutz tut not.»

Doch wurden die Teilnehmer an Schulungskursen nicht nur mit Propagandamaterial überschüttet. In den Abendkursen ging es oft auch um den Selbstschutz in der Praxis – also im Ernstfall. In Vorträgen und Lehrgängen wurde auf die Gefahren eines Luftangriffes aufmerksam gemacht, wurden Verhaltensregeln vermittelt.

Für Lehrer, andere Beamte, Angestellte und Arbeiter organisierte der Reichsluftschutzbund zusammen mit dem Polizeipräsidenten als örtlichem Luftschutzleiter Lehrgänge in den Luftschutzschulen, die über Werkschutz sowie Hilfs- und Sicherheitsdienst informieren und im Selbstschutz ausbilden sollten.

Der Lehrplan eines Schriftleiterlehrganges aus dem Jahre 1937 zeigt, was bei theoretischen Seminaren behandelt wurde. Schwerpunktthemen der dreitägigen Veranstaltung waren die Gründe des modernen Luftkrieges und die Wirkungen der Luftwaffe, sowie die Aufgaben der Selbstschutzkräfte. Weiterhin wurde über den modernen Brand- und Gasschutz und die chemischen Kampfstoffe gesprochen.

Diese Veranstaltung fand wie viele zweimal statt, damit auch wirklich jeder Aufgerufene teilnehmen konnte. Die Anwesenheit bei derartigen Lehrgängen war Pflicht.

Am häufigsten wurden Lehrer zu solchen Kursen eingezogen, weil, nach Meinung des Staatsministeriums für Unterricht und Kultus, der Schule eine besondere Bedeutung bei der Verbreitung des Luftschutzgedankens zukam:

«Ihre (der Schule) Aufgabe ist es, die Schüler ... über die Gefahren aus der Luft, über die Möglichkeiten ihrer Bekämpfung sowie über das Verhalten bei Luftangriffen aufzuklären.»

Für Lehrkräfte waren aber nicht nur theoretische, sondern auch praktische Schulungen vorgesehen. Sie lernten den Umgang mit Feuerlöschmitteln und Gasmasken, lernten Verschüttete zu bergen und Verwundete zu pflegen.

Solche Lehrgänge konnten bis zu 14 Tagen dauern. Eine Beurlaubung zur Teilnahme war vom Gesetzgeber nur dann gestattet, wenn die Übung nicht außerhalb der Dienstzeit abgehalten werden konnte. Es handelte sich dann jedoch um einen Sonderurlaub, der auf den Jahresurlaub nicht angerechnet wurde.

Während der Einberufungszeit des Luftschutzpflichtigen gewährte das Reich den Familienangehörigen zur «Sicherung des notwendigen Lebensbedarfs» eine Unterstützung. Um dem jedoch möglichst zu entgehen, wurden Lehrgänge häufig als Abendkurse abgehalten. So waren Luftschutzleiter, Hauswarte und andere ehrenamtliche Mitglieder des Reichsluftschutzbundes oft wochenlang abends auf Schulungskursen, um zivilen Luftschutz zu üben. Gesetzlich war es verboten, einzelne Personen zu häufig zu solchen Abendveranstaltungen heranzuziehen. 104 Stunden im Jahr galten als oberste Grenze.

Zu Beginn eines jeden Lehrganges hätte den im Luftschutz Auszubildenden Unterrichtsmaterial ausgehändigt werden sollen. Oft jedoch fehlte dafür das Geld.

Bei Bombenangriffen waren besonders die Speicher und Dachstühle gefährdet. Dort war fast alles aus Holz und anderen leicht entzündbaren Materialien gebaut, und die niedrigen Speicherräume dienten meist zur Lagerung alten Gerümpels.

So ordnete der Münchner Oberbürgermeister schon 1934 an, daß die Speicher aller städtischen Behörden aufgeräumt, oder wie es im Fachjargon hieß, entrümpelt werden sollten. In einem Rundschreiben an alle Münchner Behörden und Dienststellen erklärte er, was unter Entrümpelung zu verstehen sei.

11 *Der «Alte Peter» – was von innen übrig blieb, als es ernst geworden war. In der Nacht des 25. April 1944, als 550000 Stabbrandbomben und 25249 Phosphorbrandbomben fielen und entsetzlichen Schaden anrichteten, wurden u. a. die Alte Pinakothek, der Alte Peter, die Michaelkirche, das Stadtmuseum, das Maximilianeum, das Odeon und das Wittelsbacher Palais, Hauptsitz der Gestapo, betroffen.*

«Entrümpelung ist nicht gleichbedeutend mit vollständiger Räumung der Speicher. Soweit alte Belege usw. aufbewahrt werden müssen, sind sie nicht lose, sondern in Kisten, Kästen usw. derart zu lagern, daß die Entzündung erschwert wird und die Speicherecken und -winkel zugänglich sind.»

Erst 1937, drei Jahre nach dieser Entrümpelungsaktion der Münchner Behörden, wurde gleiches in ganz Deutschland gesetzlich vorgeschrieben. Doch beschränkte man sich nicht nur auf die Speicher, sondern weitete die Maßnahmen auch auf Schuppen und Lagerräume aus, in denen sich leicht

15

brennbare Gegenstände befanden, von denen eine akute Brandgefahr für die umliegenden Gebäude ausging. Das Gesetz untersagte es, «in allen Gebäudeteilen, die bei Luftangriff im besonderen Maße der Brandgefahr ausgesetzt sind», Gerümpel in übermäßigen Mengen aufzubewahren und schwerbewegliche Gegenstände zu lagern.

Noch brauchbare Möbel oder Kleidungsstücke, die nicht aufgehoben oder weggeworfen werden sollten, übergab die Bevölkerung an die NS-Wohlfahrt, die sie dann an Hilfsbedürftige weiterleitete.

Am Beispiel der Entrümpelungsaktionen zeigte es sich, daß die Gesetze zum Luftschutz für viele Gemeinden oft nur noch schriftlich fixierten, was sie aus eigener Erkenntnis schon früher getan hatten. So herrschte auf den meisten Münchner Speichern schon Ordnung, als im Jahre 1937 die gesetzlichen Bestimmungen zur Entrümpelung bekannt wurden.

«Der Luftschutzraum soll den Insassen bei Luftangriffen Schutz gegen die Wirkungen von Sprengbomben, insbesondere gegen Luftstoß, Luftsog, Bombensplitter und Bautrümmer, sowie gegen chemische Kampfstoffe gewähren.»

Derartige «Schutzräume sind im gesamten Deutschen Reich zu schaffen». So hieß es im Reichsluftschutzgesetz.

Es stand jedoch schon seit 1934 fest, daß die Regierung dafür kein Geld hatte. Anstatt für genügend wirklich sichere Bunker zu sorgen, beschloß man daher, den Bau von Luftschutzräumen der Bevölkerung zu überlassen.

Die zweite Durchführungsverordnung zum Luftschutzgesetz bestimmte, daß bei jedem Neu- und Umbau «bauliche Maßnahmen durchzuführen sind, die den Anforderungen des Luftschutzes entsprechen». Dies bedeutete, daß jeder Bauherr in Deutschland verpflichtet war, in seinem Haus einen Luftschutzraum einzubauen. Die Kosten dafür hatte er selbst zu tragen. Die Baupolizei war für die Überwachung des Luftschutzraumbaues zuständig.

Wie ein Luftschutzraum auszusehen hatte, war bis ins kleinste Detail festgelegt. Die Schutzräume sollten vor allem schnell und leicht zugängliche Keller sein, die aus einem durch eine «Gasschleuse» betretbaren «Aufenthaltsraum» und einem «Abort» bestanden.

Weiterhin waren Größe, Aufnahmekapazität, Tragfähigkeit der Decken und Wände, Art der Be-

lüftung und Beleuchtung genau vorgeschrieben. Die Luftschutzräume mußten durch einen Hinweis, der auch die genaue Belegungszahl angab, außen am Haus kenntlich gemacht werden.

In allen größeren Orten wurden vorschriftsmäßig ausgebaute Luftschutzräume zur Besichtigung freigegeben. Dort konnte sich die Bevölkerung über den Bau und Ausbau von Luftschutzkellern informieren.

In kleineren Siedlungen und Dörfern waren perfekt gebaute Luftschutzkeller wie in den Großstädten nur dann vorgeschrieben, wenn diese Orte aus irgendwelchen Gründen besonders gefährdet erschienen, sie also z. B. in der Nähe von Flughäfen, Kasernen oder Rüstungsbetrieben lagen.

Während in Deutschland der Luftschutz schon seit 1933 geprobt wurde, begann man damit in England viel zu spät. Erst im Februar 1939 wurden an die Londoner Bevölkerung Behälter aus Stahlblech verteilt, die, in den Gärten nicht unterkellerter Häuser vergraben, wenigstens vor Splittern schützen sollten. Allein in London wären 2,5 Millionen solcher provisorischer Unterstände nötig gewesen, um alle Einwohner der Stadt zu schützen.

Kurz vor Kriegsbeginn, im Juni 1939, schrieb die deutsche Reichsregierung für jeden Luftschutzraum zwölf verschiedene Luftschutzgeräte vor. Dazu gehörten Einreißhaken, Leiter, Handfeuerspritze, Feuerpatsche und Sandkiste, auch diverse Armbinden. Das hätte man eigentlich schon fünf Jahre vorher haben müssen.

Schon im Oktober 1934 nämlich hatte es in München die erste große Luftschutzübung gegeben. Drei Tage vorher wurde sie in den Zeitungen angekündigt. Da hieß es:

«Als Lage wird angenommen, daß ein feindliches Flugzeuggeschwader bei einem Angriff auf München wichtige Stellen der Stadt mit zahlreichen Bomben belegt hat. Brände entstehen, die durch die Haus- und Löschgemeinschaften nicht mehr gelöscht werden können. Eine Kampfstoffbombe vergiftet den Teil einer Straße und macht sie unpassierbar. Gas- und Wasserschäden treten durch Treffer auf das städtische Rohrnetz auf.»

Über den Verlauf dieser wirklich groß angelegten Übung berichtete das «Neue Münchner Tagblatt» am 5. Oktober 1934:

Im Luftschutzkeller

12 *So sahen sich die Kinder mit ihren Angehörigen im Luftschutzkeller.*

«Die Dunkelheit ist schon hereingebrochen. Aber die Stadt merkt wenig davon, denn noch ist volle Geschäftszeit. Erleuchtete Schaufenster, Straßenbeleuchtung, die Scheinwerfer der Autos und die Lichter der übrigen Verkehrsmittel legen Lichtschimmer über die ganze Stadt. Wie alle Tage spielt sich das Leben und Treiben in seiner vielgestaltigen Geschäftigkeit ab. Da – plötzlich heulen Sirenen, schrillen Fabrikpfeifen, läuten Glocken Sturm: «Flieger-Alarm»!!!!

Im Nu ändert sich das Bild. Alle Lichter in den Häusern, Geschäften und Fabriken erlöschen, auch die Straßenbeleuchtung wird abgestellt, bis auf wenige, schwache, nach oben gut abgeschirmte Lampen an den wichtigsten Verkehrspunkten.

Alle Fahrzeuge halten und löschen die Lichter. Jeder verläßt die Straße und begibt sich in den nächsten öffentlichen Schutzraum, der durch Wegweiser und gut gegen Sicht von oben abgedeckte Lampen leicht auffindbar gemacht ist.

In tiefster Dunkelheit und fast wie ausgestorben liegt die große Stadt da, in der noch vor einer Viertelstunde regstes Leben pulsierte. Aber alles Leben ist nicht von der Straße verschwunden. Während die Bevölkerung in den Schutzräumen und Häusern ist, beziehen die Feuerwehr, die Angehörigen des Sicherheits- und Hilfsdienstes, der Entgiftungstrupps und die sonstigen Helfer des zivilen Luftschutzes die für den Alarmfall vorgesehenen Posten. Und in den Industriewerken und großen Betrieben steht der ausgebildete Werkluftschutz einsatzbereit.

Scheinwerfer tasten mit ihren Strahlenbündeln den dunklen Nachthimmel ab. Die unheimliche Stille, die dem gewohnten Brausen der Großstadt folgt und über der Stadt liegt, wird zerrissen von dem plötzlich einsetzenden Feuer der Flak-Batterien und dem

17

13 *Parade 1939 mit Heeres-Pak (Panzerabwehrkano-*
nen). Gegen die Luftangriffe konnte die Flak (Flieger-
abwehrkanonen) in und um München nicht den er-
hofften Schutz bieten.

Rattern der Flugabwehr-Maschinengewehre. Bald
ist die Luft erfüllt von dem Dröhnen der Motore der
angreifenden Bombenflugzeuge und der Gegen-
wehr aufgestiegener Jagdmaschinen.»

Zur Verdunklung der Fenster wurden dicke und
schwere Vorhänge verwendet. Schon 1937, als der
Luftschutz dann von allen ernster genommen
wurde, kam die Tuchindustrie der großen Nach-
frage nicht mehr nach. Andere Methoden zur Verdunklung mußten bei dieser «Spinnstoffknapp-
heit» gesucht werden. Am 4. Mai 1937 veröffent-
lichte der Reichsminister für Luftfahrt, Hermann
Göring, einen Erlaß mit dem Titel «Verdunklungsmaßnahmen», in dem zukünftig das Verdunkeln
mit Vorhängen verboten und neue, bessere Maßnahmen angeordnet und erklärt wurden.
Die Fensterscheiben sollten mit Abblendtafeln aus
Papier oder Pappe versehen werden, die durch Fe-
derklammern an die Scheibe gedrückt werden sollten. Wie dies genau auszusehen hatte, wurde auf
kleinen Bauplänen gezeigt. Diese Vorrichtungen
mußten während des Krieges jeden Abend ange-
bracht werden. Dem Feind sollte die Suche nach
den deutschen Städten so schwer wie möglich gemacht werden.
Bei den städtischen Betrieben und Amtsgebäuden
galt die Verdunklungspflicht nicht für alle Fenster.
Nur Zimmer, in denen auch abends und nachts gearbeitet wurde, mußten abgedichtet werden. Später erhielten die Beamten schwache «Stirnlam-

pen», von denen nur ein kleiner Teil des Arbeits-
platzes beleuchtet wurde.
All diese Maßnahmen und das Verhalten der Bevölkerung wurden bei großen Luftschutz- und Ver-
dunklungsübungen immer wieder getestet. Die
Münchner sollten ihre Luftschutzfähigkeit 1938 erneut unter Beweis stellen.
Für den März dieses Jahres war eine Luftschutzübung im Luftgau VII, also in fast ganz Bayern,
geplant. An ihr wollte sich auch die Luftwaffe be-
teiligen, indem sie die Funktion der Angreifer und
Verteidiger übernahm. Doch dann kamen der Anschluß Österreichs und ein darauf folgender Besuch Adolf Hitlers in München dazwischen, und
die Schutzübung mußte erst einmal abgesagt werden. Die NS-Führung fürchtete, daß das Zusam-
menfallen von Reichsanschluß und Luftschutzübung so manchen Bürger im In- und Ausland irri-
tieren könnte.
Bis zum September des gleichen Jahres war dann
aber genug Zeit verstrichen, und die Bevölkerung
wurde durch Rundfunk und Zeitung über den
neuen Termin der Übung informiert. Sie sollte nun
in den Abendstunden nach Geschäftsschluß statt-
finden. Fahrräder, Straßenbahnen und Autos durften nur mit Abblendlicht fahren. Fußgängern war
sogar das Benutzen von Taschenlampen bei Strafe
verboten. An den Verkehrsknotenpunkten gab es
eine für Flugzeuge schlecht wahrnehmbare rote
Notbeleuchtung.
Seit Anfang des Jahres 1934 gab es im Rathaus eine
besondere Kommission, die genaue Pläne für den
Ernstfall auszuarbeiten hatte. Löschwasserversor-
gung, Flakabwehr, Verdunklung, Evakuierung
und Bestattungswesen standen im Vordergrund.
Da München über ein ausgedehntes und weitver-
zweigtes Wassernetz verfügte, sah man da wenig
Schwierigkeiten. Wie man glaubte, würde das vorhandene Ringleitungssystem auch bei einer Teilzer-
störung immer noch ausreichen. Um Sabotage aus-
zuschließen, sollten SS-Einheiten mit der Überwachung wichtiger Pumpstationen und Wassertanks
betreut werden.
Um einer vorübergehenden Wasserknappheit vor-
zubeugen, hatte außerdem jeder Haushalt für ge-
füllte Wannen und Eimer zu sorgen.
Unter dem Stichwort «Geheime Reichssache» beschäftigte man sich bereits 1937 mit dem Problem
der Leichenbestattung. Um eine Seuchengefahr zu
vermeiden, mußten die etwaigen Bombentoten ja

möglichst schnell geborgen und begraben werden. Offen blieb die Frage, wo die nach Bombenangriffen obdachlos gewordenen Menschen untergebracht werden sollten. Man hoffte zunächst auf die Hilfsbereitschaft von Verwandten und Bekannten, die Ausgebombten aufzunehmen.

Als schwieriger sah man die Unterbringung der Bürger an, die in besonders gefährdeten Teilen der Münchner Altstadt wohnten und darum vor einem Angriff ihre Häuser verlassen mußten. Da schon 1937 feststand, daß die Errichtung von Baracken und Zeltlagern zu aufwendig und zu teuer sein würde, sollten die Altstadtbewohner in Gaststätten, Hotels, Pensionen und Privatwohnungen der Umgebung Platz finden.

Um die Ausquartierungen mühelos organisieren zu können, wurde die Eingemeindung einzelner Münchner Vororte erwogen. Auch bei der Aufstellung von Flakgeschützen sollten die Eingemeindungen Vorteile bringen.

Die großen 10 cm Flakgeschütze mußten in den Vororten postiert werden, um angreifende Fliegerverbände schon vor der «Hauptstadt der Bewegung» abzufangen. Da damit zu rechnen war, daß die Angreifer hauptsächlich, um nach langen Anflügen Benzin zu sparen, aus dem Norden einfliegen würden, sah die Kommission besonders für den nördlichen Bereich die Plazierung mehrerer Flakgeschütze vor. Als Standorte wurden Allach, Untermenzing, Oberschleißheim, Freimann und das Oberwiesenfeld, das heutige Olympiazentrum, in Betracht gezogen. Die Geschütze auf dem Oberwiesenfeld hatten auch die Aufgabe, den stark gefährdeten Münchner Flughafen zu schützen. Der Luftverkehr Münchens mußte in jedem Fall aufrecht erhalten bleiben. Angreifer aus anderen Richtungen sollten von den in Großhadern, Englschalking und Ramersdorf aufgestellten Flakbatterien abgefangen werden.

Diese Flakgeschütze benötigten viel freie Fläche, um einen günstigen Abschußwinkel zu erreichen. Anfangs hielten die Beamten und Sachverständigen ein freies Schußfeld mit einem Radius von 180 m für ausreichend. 1938 wurde der Mindestradius auf 300 m erhöht. Dadurch konnte der Abschußwinkel der Geschütze verringert, Flugzeuge konnten schon früher erfaßt und getroffen werden. Doch schon 1937 war es der Kommission klar, daß diese Flakgeschütze nicht alle angreifenden Flugzeuge abschießen könnten.

Um die «Hauptstadt der Bewegung» ausreichend zu schützen, sollten auch auf einzelnen Dächern kleinere Geschütze aufgestellt werden.

Als besonders gefährdet galten Bahnhöfe und Gleise, Versorgungslager, Krankenhäuser und Kasernen. Auch Rüstungsbetriebe und die enge Altstadt wurden als extrem gefährdet eingestuft. Überall dort sollten 2 cm Flakgeschütze für die Sicherheit sorgen.

Die Kommission besichtigte unzählige Gebäude und untersuchte die Tragfähigkeit ihrer Dächer. Es wurde mit dem Ausbau der Dachstühle begonnen. Flachdächer verstärkte man durch Aufgießen von Beton. Der Umbau schräger Dächer war schwieriger. Eine aufwendige Holzkonstruktion mit einer Art Aussichtsterrasse wurde an das Dach gebaut. Auf ihr sollten im Ernstfall das 2 cm Geschütz und einige Kanoniere Platz finden.

Daß diese Abwehrmaßnahmen nicht ausreichten, sollte der Krieg bald zeigen. Zwischen 1940 und 1945 fielen bei 74 Luftangriffen 3 519 033 Minen-, Spreng- und Brandbomben unterschiedlichster Wirkung und richteten in München unvorstellbare Verwüstungen an. Die Kommission der Stadtverwaltung hatte sich auf einige Flugzeuge eingestellt und dafür, wie sie glaubte, ausreichende Vorkehrungen getroffen. Wer hätte 1937 schon mit dem totalen Krieg, mit Flächenbombardements, also der vollständigen Zerstörung ganzer Gebiete gerechnet?

14 *Exerzierplatz Oberwiesenfeld 1940. Die Flak-Geschütze auf dem Oberwiesenfeld, dem heutigen Olympiazentrum, sollten auch den Münchener Flughafen schützen.*

3. Also, jetzt gilt's (1939/40)

Hitler betonte in seiner Reichstagsrede zum Kriegsausbruch am 1. September 1939:
«Ich will nicht den Kampf gegen Frauen und Kinder führen. Ich habe meiner Luftwaffe den Auftrag gegeben, sich bei den Angriffen auf militärische Objekte zu beschränken. Wenn aber der Gegner glaubt, daraus einen Freibrief ablesen zu können, seinerseits mit umgekehrten Methoden zu kämpfen, dann wird er eine Antwort erhalten, daß ihm Hören und Sehen vergeht.»

Es besteht kaum Grund, daran zu zweifeln, daß Hitler tatsächlich Fliegerangriffe auf die Zivilbevölkerung der gegnerischen Länder vermeiden wollte. Entsprechend seiner Reichstagsrede erteilte er der Luftwaffe klare Befehle, die Verantwortung für die «Eröffnung von Luftangriffshandlungen» England und Frankreich zu überlassen. Flugzeugangriffe auf französisches und englisches Gebiet, ja selbst auf Handelsschiffe waren zunächst verboten.

So dachten auch die Münchner in den ersten Septembertagen natürlich mehr an das Einrücken der Männer, Väter und Söhne und weniger an die eigene Gefährdung. Die Stimmung war gedrückt. Selbst die inzwischen an der Leine des Reichspropagandaministeriums liegenden Zeitungen wagten es nicht, von Kriegsbegeisterung zu schreiben, geschweige denn, sie anzuheizen. Wenn auch nicht ganz ohne Pathos notierte ein Zeitungsreporter: «Still lagen die Straßen um die zehnte Morgenstunde, still standen die Menschen vor den Fenstern, durch die des Lautsprechers Stimme tönte, dicht scharten sich in den Betrieben alle Berufstätigen um den Rundfunk. Der Ernst einer großen, schicksalsschweren Stunde hielt alle in ihrem Bann. Ganz nahe rückten sie zusammen, alles Reden und Flüstern war verstummt, nur die Augen sprachen, und in den Gesichtern war zu lesen, was jeder empfand: Das Bewußtsein einer großen, unlöslichen Gemeinschaft.»

Noch am ersten Tage des Kriegsausbruchs erhob der amerikanische Präsident Franklin D. Roosevelt zugunsten der Zivilbevölkerung in aller Welt seine Stimme. Er wandte sich an die Regierungen in Deutschland, England, Frankreich, Italien und Polen: «Ich appelliere an Sie, in keinem Falle und unter keinen Umständen Zivilpersonen oder unbefestigte Orte aus der Luft anzugreifen.»

Auch London schien damals noch guten Willens zu sein. Der britische Premierminister Chamberlain erklärte: «Welchen Weg die anderen auch gehen mögen, die britische Regierung wird niemals zu hinterhältigen Angriffen auf Frauen und andere Zivilpersonen zum Zwecke reinen Terrors Zuflucht nehmen.»

Besondere Aufmerksamkeit fanden in München die Worte aus Rom. Dort äußerte Papst Pius XII., der als Nuntius acht Jahre in München gelebt hatte und sich der Stadt – wie auch Bayern insgesamt – zeitlebens besonders verbunden fühlte, seine große Sorge. Er beschwor die Staatsmänner, umgehend zum Frieden zurückzukehren. Zugleich gab er aber auch seiner Hoffnung Ausdruck, «daß der Zivilbevölkerung in allen kriegführenden Ländern der Schrecken des Krieges erspart bleiben möge». Als schließlich doch die Bomben fielen, beklagte er in seiner Weihnachtsansprache zwei Jahre später «die verheerenden Verwüstungen, die der Luftkrieg in großen reichbevölkerten Städten anrichtet».

Es gibt wohl keinen anderen deutschen Volksstamm, der sich so mit seiner Geschichte verbunden fühlt, wie die Bayern. Bavarica füllen ganze Bibliotheken. Bücher über die Ereignisse im Ersten und Zweiten Weltkrieg sind dagegen selten. Auch die Münchner erinnern sich selbstverständlich lieber der Höhepunkte ihrer Vergangenheit. So wußten auch im September 1939 nur wenige in der Isarmetropole, daß bereits am 17. November 1916 einige Fliegerbomben auf München gefallen waren. Damals hatte eine einzige französische Maschine die Isar erreicht. Lapidar teilte das Königlich-Bayerische Kriegsministerium noch am gleichen Tage mit: «Heute mittag gegen ein Uhr erschien über München ein feindlicher Flieger, der insgesamt sieben Bomben abwarf, die jedoch nur geringen Sachschaden anrichteten. Menschenleben sind nicht zu beklagen.»

Wie den Zeitungen aus jenen Tagen zu entnehmen ist, fiel ein Blindgänger neben den Brunnen am Sendlinger Tor, wo er nach mehrstündiger Arbeit geborgen wurde. Eine Bombe durchschlug das Dach des Hauses Amalienstraße 1 und landete auf dem Sofa des Hofrats Bodensteiner. Durch die sich entwickelnden Gase und Dämpfe starben Hund und Kanarienvogel. Ein Schüler nutzte die Gelegenheit, sich und seinen Klassenkameraden einen Tag schulfrei zu verschaffen. «Hier ist das Generalkommando» hieß es am Telefon in der Schule Simmernstraße in Schwabing, «es sind Flugzeuge im Anzug.» Die erschrockenen Lehrer schickten die Kinder unverzüglich nach Hause, um dann bald festzustellen, daß sie einem makabren Scherz zum Opfer gefallen waren.

Im Herbst 1939 spürten selbst die Jugendlichen, daß für solche Späße keine Zeit war. «Also, jetzt gilt's», schrieb eine Münchner Zeitung und forderte erneut dazu auf, alle Häuser luftschutzbereit zu machen. Die Blockwarte verteilten Merkblätter zum Verhalten bei Fliegeralarm. Dick gedruckt war dort zu lesen:

«Wenn die Sirene ertönt, erste Pflicht: Ruhe bewahren! Gefährlicher als Bomben ist eine Panik!»

Am 14. und 24. September gab es dann die ersten Alarme – ohne daß etwas passierte. Breit und ausführlich berichteten Presse und Rundfunk am 27. September 1939 über die Kapitulation der polnischen Hauptstadt. Als befestigte und verteidigte Stadt war Warschau wiederholt von deutschen Flugzeugen angegriffen worden. Davon wurde auch die Zivilbevölkerung stark betroffen. Dennoch gelten die Luftangriffe auf Warschau genauso wenig wie die im Mai 1940 auf Rotterdam als Beginn des eigentlichen Luftkrieges. Die Haager Landkriegsordnung hatte ausdrücklich nur Luftangriffe auf unbefestigte Ortschaften untersagt und geächtet. So wurde auch Generaloberst Karl Student, der am 14. Mai 1940 den Befehl zum Bombenangriff auf das holländische Rotterdam gegeben und als sich die Stadt ergab, noch vergeblich aufzuhalten versucht hatte, später von einem niederländischen Gericht von der Anklage des Kriegsverbrechens freigesprochen.

Tagesalarm

Bei Fliegeralarm während des Tages müssen Volksgenossen, die sich auf der Straße befinden und nicht innerhalb kürzester Zeit ihren Luftschutzraum erreichen können, den Luftschutzraum des nächsten Hauses aufsuchen. Die Hausgemeinschaft dieses Hauses hat dem Volksgenossen unbedingt Aufnahme im Schutzraum zu gewähren!

15 *Tagesalarm! Hitler noch am 4. September 1940: «Während die deutschen Flieger und die deutschen Flugzeuge Tag für Tag über englischem Boden sind, kommt ein Engländer bei Tageslicht überhaupt nicht über die Nordsee herüber».*

Als in den ersten Junitagen des Jahres 1940 die ersten feindlichen Flugzeuge am weiß-blauen Himmel auftauchten, lösten sie in München keine besondere Unruhe aus. Zwar wurden die Münchner gleich elfmal in die Keller gejagt, die meisten verloren aber selbst dann nicht ihre Ruhe, als die erste Bombe bei Bosch in Allach einen großen Krater in die Erde gerissen hatte. Die erste Luftkriegsverlautbarung lautete:

«In der Nacht zum 5. Juni flogen erneut einzelne feindliche Flugzeuge in Südbayern ein und erreichten zum Teil München, wo sie wieder planlos Bomben abwarfen. Die meisten fielen in den Englischen Garten. Im übrigen wurde einiger Sachschaden an drei Wohngebäuden und einer Lagerhalle verursacht. Verletzte sind nicht zu beklagen.»

Wie sorglos viele Münchner damals noch waren, geht aus einem Zeitungsbericht hervor:

«Bei den Fliegerangriffen in der Nacht zum 3. und 4. und vom 4. auf den 5. Juni haben zahlreiche Volksgenossen den Alarm überhört und sind erst verspätet durch die Luftschutzwarte und durch andere Hausbewohner geweckt worden. Das darf sich nicht wiederholen. Der Luftschutzwart ist auch davon zu unterrichten, wenn eine zum Hause gehörige Person die Nacht nicht im Hause verbringt.»

Gelassen spazierten die Münchner in großen Scharen zu den ersten zerstören Häusern. Sie frönten ihrer Neugierde und verbrachten die schönen Sommerabende in den Biergärten.

Das jedoch sollte sich sehr bald ändern. Nur wenige Tage nach dem ersten Angriff auf München wurde am 10. Juni 1940 Winston Churchill Premierminister in England. In einer völlig illusionslosen Rede vor dem britischen Unterhaus verhieß er seinen eigenen Landsleuten «Blut und Tränen». Das mußte um so mehr für den Gegner gelten.
Bereits sechs Tage später befahl Churchill den ersten größeren Luftangriff seiner Royal Air Force – kurz RAF genannt. Dieser galt schon nichtmilitärischen Zielen, nämlich Öllagern und Bahnanlagen im Ruhrgebiet. Die deutsche Luftwaffe war inzwischen bemüht, britische Schiffe aus dem Kanal zu vertreiben. Von Tag zu Tag wurde die Lage gespannter. Am 16. Juli 1940 ließ Hitler schließlich die Katze aus dem Sack. In einem Führerbefehl erklärte er:
«Da England trotz der Hoffnungslosigkeit seiner militärischen Lage bisher keine Anstalten gemacht hat, zu einem Vergleich zu kommen, habe ich mich entschlossen, mit der Vorbereitung einer Invasion auf England zu beginnen und – notfalls die Insel zu erobern.»
Als Voraussetzung für diesen «Sprung über den Kanal» sollten die deutschen Flieger die absolute Luftherrschaft über den Kanal und England erringen. So begann mit der Aktion «Adlertag» am 13. August 1940 die Luftschlacht über England.
Nachdem die ersten Bomben auf die Reichshauptstadt gefallen waren, meinte Hitler bei der Eröffnung des Kriegswinterhilfswerks in Berlin am 4.9.1940 in maßloser Wut:
«Es ist etwas Wunderbares, unser Volk im Krieg zu sehen, in seiner ganzen Disziplin. Wir erleben das doch gerade jetzt, in der Zeit, da Herr Churchill seine Erfindung der Nachtluftangriffe uns vorführt. Er tut nicht deshalb, weil diese Luftangriffe besonders wirkungsvoll sind, sondern weil seine Luftwaffe bei Tag nicht über deutsches Land kann. Während die deutschen Flieger und die deutschen Flugzeuge Tag für Tag über englischem Boden sind, kommt ein Engländer bei Tageslicht überhaupt nicht über die Nordsee herüber. So kommen sie in der Nacht und werfen, wie Sie wissen, wahllos und planlos auf zivile, bürgerliche Wohnviertel ihre Bomben, auf Bauerngehöfte und Dörfer. Wo sie irgendein Licht erblicken, wird eine Bombe darauf geworfen. Und wenn sie erklären, sie würden bei uns Städte in großem Ausmaß angreifen, wir werden ihre Städte ausradieren.»

Aber die nun angeordneten Angriffe auf Großbritannien forderten nur härtere Gegenschläge der Royal Air Force heraus, deren Opfer die deutsche Zivilbevölkerung wurde. 65 Tage lang ließ Hitler über London und Umgebung Sprengbomben und Brandschüttkästen abwerfen. Beim Angriff auf die englische Industriestadt Coventry am 14.11.1940 – der von deutscher Seite ausdrücklich als Vergeltung für die Bombardierung deutscher Städte bezeichnet wurde – ließ die deutsche Luftwaffe erstmals die bis dahin noch einigermaßen beachtete Rücksicht auf die Bevölkerung außer acht.
Churchill antwortete darauf im britischen Unterhaus:
«Ein Monat ist vergangen, seitdem Hitler seine Wut und Bösartigkeit auf die Zivilbevölkerung unserer großen Städte und besonders London losgelassen hat. Wir wissen natürlich genau, wie wir darauf erwidern, wir kennen die Größe unserer eigenen Bombenstreitkräfte und glauben auf Grund der vielen uns zur Verfügung stehenden Informationen, daß die Piloten der schweren deutschen Bomber mindestens ebenso, und vermutlich um vieles mehr, beansprucht sind als unsere eigenen.
Viele meiner Ministerkollegen haben die Gepflogenheit – und in einigen Fällen die Pflicht –, die Szenen der Zerstörung so bald als möglich zu besuchen, und ich selbst suche sie von Zeit zu Zeit auf. Ich bin in meinem ganzen Leben niemals mit solcher Freundlichkeit behandelt worden, als von diesen Menschen, die am meisten gelitten haben. Man hatte den Eindruck, als ob man ihnen eine große Segnung gebracht hätte, nicht Blut und Tränen, Mühsal und Schweiß – denn das ist alles, was ich versprochen hatte. Von jeder Seite erschallt der Ruf ‹Wir können's aushalten›, aber man hört auch rufen: ‹Zahlt es ihnen heim!›»
Schon bei der im Mai 1941 erfolglos abgebrochenen Luftschlacht um England zeigte sich, daß die deutsche Jagdwaffe ihre Bomber nicht genügend schützen konnte. Viele Flugzeuge, vor allem auch Jäger gingen verloren. Davon konnte sich die deutsche Luftwaffe nicht mehr erholen. Deutschland hatte mithin – wie es treffend formuliert wurde – kein Dach mehr über dem Kopf. Der Einflug britischer Maschinen konnte wohl gestört, aber letztlich nicht mehr verhindert werden. Es zeigte sich sehr schnell, daß man in Deutschland auch die

Möglichkeit der Flak bei Dunkelheit, Wolkendecken und vor allem bei größeren Einflugsgeschwadern völlig überschätzt hatte.

Der ehemalige Kampfflieger **Herbert Kuntz** *erinnert sich:*
«Der Befehl lautete damals noch – strenges Verbot, Bomben auf Städte zu werfen. Unsere Ziele waren militärischer Art. Wir waren das Löwengeschwader KG 26 und lagen in Stavanger. Wir waren spezialisiert auf den Schiffsverkehr. Dann wurden wir nach Nordfrankreich verlegt, nach Amiens, und flogen die Nachtangriffe nach England, hauptsächlich nach London. Die Tagangriffe waren so verlustreich, daß sie nicht mehr fortgeführt werden konnten. Am Tage war die englische Jagdabwehr hundertprozentig da, zum Beispiel in Mittelengland. Bei einem Großangriff verlor die Nachbarstaffel neun Maschinen. Ich habe Tagebuch geführt. Der erste Angriff auf London von mir war am 26. Oktober 1940 – da war aber die Luftschlacht schon im Gange.
Daß Hitler London ausradieren wollte, hörte ich in Norwegen. Ich war damals erschrocken darüber. Uns wurde gesagt, England hat uns den Krieg erklärt, unsere Aufgabe wäre, die englische Rüstungs- und Flugzeugindustrie sowie die Schiffahrt nachhaltig zu stören. Damals glaubte man vielleicht noch daran – wir auch – England irgendwie in die Knie zwingen zu können. Zur damaligen Zeit war es nachts nicht möglich, Punktziele anzugreifen, wie wir es bei Tag mit einem sogenannten Lotfernrohr konnten, das mathematisch arbeitete, so daß wir nur einen Stadtteil zugewiesen bekamen. Das waren Buchstaben, und zwar vornehmlich Stadtteile am Ufer der Themse. Aber die Navigation war außerordentlich schwierig. Wir kamen mit Kompaßkurs, Flugzeit und Geschwindigkeit nicht zurecht, weil uns der Wind mit großer Stärke einen Streich spielte und die Wetterwarte keine genauen Unterlagen hatte. Wir konnten nicht exakt zielen. Die Engländer haben uns die Navigation außerordentlich erleichtert. Wenn wir uns nach Kompaßkurs London näherten, flammten im Umkreis von etwa dreißig Kilometer Durchmesser, das wird der Stadtdurchmesser gewesen sein, die Scheinwerfer auf. Und die Flak begann zu schießen. Wir hatten ziemlich genau die Umrisse von London vor uns. Wir haben dann auf der Karte verglichen, unseren Stadtteil geschätzt und danach die Bomben geworfen. Wir hatten an

16 *«Luftschlacht um England» seit dem 13. August 1940. Herbert Kuntz als Kampfflieger in seiner HE 111.*

Bord eine brisante Zerstörungskraft in Form von Zweitausend-Kilogramm-Bomben zum Angriff auf militärische Ziele. Das waren Sprengbomben, zum Beispiel acht Zweihundertfünfzig-Kilo-Bomben oder eine zweitausender, es gab sogar eine mit zweitausendfünfhundert Kilo.

17 *Hitler im September 1940: «Und wenn sie erklären, sie würden bei uns Städte in großem Ausmaß angreifen: wir werden ihre Städte ausradieren.» Im Bild das brennende Coventry, von Herbert Kunz aus seiner Maschine heraus fotografiert.*

Während des Angriffs hatte ich keine Angst. Für die Angst hatte ich als Flugzeugführer keine Zeit. Die Angst kam nachher, wenn wir wieder zurück waren. Wir hatten manchmal Flaktreffer. Sehr gefährlich waren die Scheinwerfer. Ich war einmal im Kegel von etwa fünfzig Scheinwerfern. Mein Beobachter hat die Karte vor meine Augen gehalten. Ich konnte an der HE 111 die Instrumente kaum noch sehen, und das war äußerst unangenehm mit der schwer beladenen Maschine. Da brauchte man nur einen Steuerfehler zu machen, in die große Schräglage zu kommen und man stürzte ab. Dann kam Coventry. Uns wurde gesagt, Coventry ist ein Zentrum der englischen Flugzeugzubehörindustrie. Und nachdem die Angriffe auf englische Flugplätze und auch auf die Flugzeugwerke keinen sichtbaren Erfolg gezeigt haben, glaubte man durch einen konzentrischen Angriff auf die Zubehörindustrie der englischen Luftwaffe schaden zu können. Natürlich war auch hier von einem Einzelziel nicht die Rede. Wir hatten den Nordosten der Stadt. Schon lange vorher sahen wir den Feuerschein. Wir brauchten also gar nicht zu navigieren. Die englische Jagdabwehr war schwach. Wir haben nur einen Nachtjäger gesehen. Die Flak schoß wie üblich, aber nicht lebensgefährlich. Als wir ankamen, sahen wir, daß Fabrikhallen lichterloh brannten. Wir sahen die Eisenkonstruktionen der Träger – und in diese Ecke haben wir dann auch unsere Bomben fallen lassen.»

Deutschland und besonders auch München waren auf einen so intensiven Luftkrieg nicht vorbereitet. Es fehlte vor allem an geeigneten Luftschutzbunkern. Sie waren nicht rechtzeitig gebaut worden, da auf Anweisung Hitlers Beton und Stahl für die Aufrüstung gebraucht wurden. Zu spät griff «der Führer» selbst ein. Am 30. September 1940 übernahm er persönlich den Vorsitz einer Besprechung über «Bauwesen und Luftschutz», die dann zum sogenannten Führerbauprogramm führte. Seine Bekanntgabe machte auch dem letzten Münchner klar, daß nun mit einem raschen Kriegsende nicht mehr zu rechnen war. Den bis ins einzelne gehenden Bestimmungen für den Bau bombensicherer Luftschutzräume folgten ein Jahr später nochmals neue Anordnungen für den Bau von Luftschutzbunkern. In ihnen war folgendes festgelegt:

Höchstaufwand von Beton: 7,5 bis 11,5 m³/Person
Zementanteil mindestens 400 kg/m³

Betonstahl DIN 1045 in «Braunschweiger Schutzbewehrung»
Würfelfestigkeit W mindestens 300 kg/cm²
Mindestdicke der bombensicheren Decken und
Wände: Baustufe A (über 1500 Personen) 3,00 m
Baustufe B (300 bis 1499 Personen) 2,50 m
Baustufe C (unter 300 Personen) 3,00 m

Während die Münchner Zeitungen die Kriegslage weiterhin optimistisch beurteilten oder beurteilen mußten, wußte man in Regierungs- und Parteikreisen, was auf die Zivilbevölkerung zukam. Seit Oktober 1940 lieferte Amerika nämlich Flugzeuge an Großbritannien. Das war das Ende der anfänglichen Luftüberlegenheit der Deutschen.
Immer öfter mußte der Rundfunk von Angriffen auf Berlin und andere Städte in Deutschland berichten. Selbstverständlich geschah das nie, ohne zunächst auf die Verluste des Gegners hinzuweisen. «Feindlicher Angriff auf Berlin abgeschlagen» hieß es dann, um erst im Nebensatz mitzuteilen, daß auch Bomben ihre Schäden angerichtet hatten. Bei den großen Lebens- und Sachversicherungen wurden Schadensansprüche geltend gemacht, die bei Versicherungsabschluß eigentlich nicht vorgesehen waren. Die Münchner Zeitung sah sich daher veranlaßt, am 1. November in einem größeren Beitrag auf dieses Thema einzugehen. Etwas verklausuliert heißt es dort:
«Die volle Lebensversicherung wird auch ausgezahlt, wenn durch einen Luftangriff hinter der Front eine Zivilperson getötet wurde. Bei Unfall-, Haft-, Feuer- und Sachversicherung soll großzügig verfahren werden.»
Die Partei jedoch hatte in diesen Tagen «Wichtigeres» zu bedenken. Für den 9. November stand die übliche Feier an der Feldherrnhalle ins Haus. Denn siebzehn Jahre war es her, seit Hitler in München zu putschen versucht hatte und dreizehn seiner Getreuen beim Marsch zur Feldherrnhalle erschossen worden waren. In diesem ersten Kriegsjahr war der 9. November im Gegensatz zu früher allerdings kein Feiertag, damit «die zur Verfügung stehende Arbeitszeit voll genutzt» würde. Dennoch aber hatten sich hohe Gäste angesagt. Hitler selbst sprach am Abend im Löwenbräukeller. Gleich auf drei Zeitungsseiten wurden alle, die nicht direkt dabei sein konnten, von der Rede unterrichtet. «Sie glauben» – so Hitler an die Adresse seiner Gegner – «Deutschland zu vernichten. Sie

24

werden sich irren! Aus dem Kampf erst wird Deutschland erstehen!»

An der Feierstunde am Mahnmal der Feldherrnhalle nahmen der Stellvertreter des Führers, Rudolf Hess, Generalfeldmarschall Keitel und als Gastgeber Gauleiter Wagner teil.

Die englische Regierung hatte sich für diesen Tag einen Coup ausgedacht. Durch einen überraschenden Luftangriff wollte man die Feldherrnhalle noch vor den offiziellen Feierlichkeiten zerbomben. Der in der Nacht vom 8. auf den 9. November unternommene Versuch jedoch mißlang. Die «Münchner Zeitung» hatte es nicht einmal nötig, in einem eigenen Artikel auf den Angriff einzugehen. Am 11. November nahm sie nur indirekt dazu Stellung. Unter der Überschrift «Die Lüge über München» wird aus einer Veröffentlichung in London zitiert, in der es unter anderem hieß: «Das riesige Eisenbahnzentrum Münchens bildet einen ungeheuren Brandherd.» Die Zeitung meint, daß sich nun jeder Münchner über solche Falschmeldungen sein eigenes Urteil bilden könne. So eben arbeite die feindliche Propaganda. Sie fügt dann unter Anspielung auf die deutschen Angriffe auf London hinzu: «Churchill muß seine Höhlenbewohner an der Themse mit den viel schrecklicheren Zerstörungen in der Münchner Stadt trösten.»

Angeblich wurde in Großbritannien später sogar verbreitet, daß englische Flugzeuge den Bürgerbräukeller getroffen hätten. Alle Hinweise darauf, daß die deutsche Luftwaffe viel erfolgreicher sei, konnten nicht darüber hinweg täuschen, daß die Bombengefahr für München erheblich gewachsen war. Immer wieder wurde die Bevölkerung dazu aufgefordert, die Verdunklungsvorschriften ernster zu nehmen. Es gab präzise Anweisungen dafür, wie helle Glühbirnen blau zu färben seien, in fetten Zeilen wiesen die Zeitungen darauf hin, daß Verdunklungspflicht von 17 Uhr 40 bis 8 Uhr 19 bestehe und meinten dann weiter: «Jeder Volksgenosse hat die Pflicht, diese zu seinem Schutz angeordneten Maßnahmen mit größter Beschleunigung und Gewissenhaftigkeit durchzuführen. Nur dann ist die Gewähr gegeben, daß die noch vorhandenen Mängel der Verdunklung, die dringend notwendig ist, beseitigt werden.»

Hingewiesen wurde auch darauf, daß bei Alarm die Hauptgashähne nicht abgedreht werden müßten, die Sparflamme der Badeöfen dürften weiterbrennen.

18 *Die englische Regierung hatte sich für diesen Tag einen Coup ausgedacht: Feierstunde zum 9. November am Mahnmal der Feldherrnhalle.*

«Vergeltung für München – Großangriff gegen England» und «Coventry dem Erdboden gleichgemacht». Mit diesen Schlagzeilen hofften die Nazis, die Widerstandskraft der Münchner zu stärken. Es seien fünfzehnmal mehr deutsche Bomben auf England als umgekehrt gefallen, hieß es in einer anderen Meldung. Im übrigen vertröstete man auf die Zukunft. In langen Aufsätzen wurde den Münchnern nahe gebracht, daß der Führer für das erste Nachkriegsjahr ein großes Bauprogramm in Aussicht gestellt habe. 300 000 Wohnungen würden sofort errichtet. Billige Mieten seien selbstverständlich, Einzelheiten über Fragen der Planung, Baulandbeschaffung und der Richtpreise wurden ausführlich aufgezählt.

Die Münchner aber lebten nicht für die Zukunft, sondern versuchten auch der traurigen Gegenwart wenigstens einige schöne Seiten abzugewinnen. Ausverkauft waren daher die Theater und Kinovorstellungen. Im Deutschen Theater lief eine Revue mit dem optimistischen Titel «Sonne Dich», deren «Glanz- und Bildzauber» die Rezensenten nicht genug zu loben wußten. Attila Hörbiger und Winnie Markus zogen die Münchner zu «Im Schatten des Berges» ins Kino. Neben dem Hetzfilm «Jud Süß» lief auch «Friedrich Schiller – der

Triumph eines Genies» mit Heinrich George, Paul Dahlke, Paul Henckels, Hans Nielsen und Hannelore Schroth. «Mit Zuversicht» entließen die Zeitungskommentatoren ihre Leser ins neue Jahr. Trotz der ersten Angriffe auf die Stadt und der zunehmenden Todesanzeigen wagte man zu schreiben:

«Das Jahr 1940 war ein deutsches Jahr. Der Herrgott hat es gesegnet. Er wird, so bitten wir, auch im neuen Jahr mit uns sein ... Feindliche Luftangriffe zu nächtlicher Stunde stoßen nur auf Trotz und Feuerhagel und auf vielfache Vergeltung!»

Hitler selbst wandte sich mit einem Tagesbefehl an die Soldaten, denen er versprach: «Das Jahr 1941 wird die Vollendung des größten Sieges unserer Geschichte bringen.»

Mit gleicher Zuversicht hatte Hitler bei einem Besuch im Hause des Münchner Verlegers Bruckmann ins Gästebuch geschrieben: «Im Jahre der Vollendung des deutschen Sieges.»

4. Geprobt wird mit «Entwarnung» (1941)

Bereits am ersten Tage des Jahres 1941 verstärkte der Staat seinen Griff nach der Jugend. Die Verordnung über den «Pflichtdienst in der Hitlerjugend» regelte und verschärfte die Erfassung aller Jugendlichen im Dienste der Landesverteidigung. Als Feuermelder und Sanitätshelfer wurden vor allem die Buben zum Luftschutz herangezogen. In der Schule und beim Dienst in der Hitlerjugend wurden ihnen die entsprechenden Bestimmungen immer wieder erneut eingehämmert. Auch die Zeitungen brachten täglich Hinweise zum Ausschneiden, in denen auf das richtige Verhalten bei Bombenangriffen aufmerksam gemacht wurde. Die Verordnungen gingen immer mehr ins Detail. So wurde schließlich sogar die Aufteilung der Stromkosten in Luftschutzkellern größerer Häuser geregelt. Der Preis einer Kilowattstunde betrug 6 Reichspfennige; die Gesamtsumme wurde monatlich auf alle Hausbewohner umgelegt. Wer in die Sommerferien verreiste, hatte – laut Münchner Zeitung vom 14. Januar 1941 – folgendes zu beachten:

«Am besten werden die Wohnungsschlüssel versiegelt entweder beim Luftschutzwart selbst – oder nachdem man ihn entsprechend verständigt hat, bei einem Nachbarn oder dem Hausmeister hinterlegt. Etwas anderes ist es, wenn man einer Nachbarfamilie die Schlüssel übergibt, weil diese die Blumen gießt. Dann fällt das Versiegeln fort. Gleichzeitig muß jeder, der fremde Schlüssel in Verwahrung nimmt, diese bei Luftschutzalarm mit in den Schutzraum nehmen und sie für den Luftschutzwart bereithalten.»

Bekanntgegeben wurden auch Übergangsregelungen für diejenigen, die auswärts zum Luftschutzdienst verpflichtet gewesen waren und ins zivile Leben zurückkehrten. Wer mindestens 90 Tage dabei war und nicht in den Haushalt seiner Familie zurückging, erhielt auf Grund eines Erlaßes des Reichsluftfahrtministeriums 14 Tage lang täglich

1,20 Reichsmark Verpflegungsgeld

1,– Reichsmark Unterhaltsgeld

und als einmalige Abfindung

50,– Reichsmark Entlassungsgeld

sowie die freie Fahrt in die Heimat.

Nach schweren britischen Angriffen auf Köln wurden in München noch im März die Fenster der Straßenbahnen blau gestrichen, gleiches galt bald auch für alle Autos. Selbst Fahrradleuchten bekamen eine Klappe. Das verdunkelte München bot bald ein tristes, wenig anheimelndes Bild. Aber auch bei Tage sah man der Stadt an, daß ihre Bewohner davon in Anspruch genommen waren, mit den Unannehmlichkeiten des Alltags so gut wie möglich fertig zu werden. Wer Männer und Söhne an der zu dieser Zeit zwar noch siegreichen Front hatte, Bombenangriffe auf die eigene Stadt selbst erlebt hatte und in den Nachrichten fast ständig von feindlichen Flugzeugen über dem Reichsgebiet hörte, hatte verständlicherweise wenig Lust, Schönheitsreparaturen am eigenen Haus vorzunehmen. So sah sich die Stadtverwaltung schließlich veranlaßt, folgende Mahnung zu erlassen:

«Die Instandsetzung des Hausbesitzes muß auch in der gegenwärtigen Zeit durchgeführt werden, um den Verlust an Wohnungen und den Verfall von Gebäuden zu verhindern. Falls ein Hausbesitzer derartige notwendige Maßnahmen nicht durchführen läßt, kann nach einer Vorschrift des Reichsmietengesetzes eine öffentliche Stelle, in der Regel die Gemeinde, eingreifen und die Ausführung der Arbeiten veranlassen. Dieses Recht bestand bisher nur für Gebäude mit mittleren und kleineren Wohnungen. Durch ein Gesetz zur Änderung des Reichsmietengesetzes ist es nun auch auf Gebäude mit großen Wohnungen wie sämtliche Neubauten ausgedehnt worden.»

Wer vom Krieg noch nicht genug hatte, konnte im Heeresmuseum eine aktuelle Ausstellung besuchen. Gezeigt wurden dort viele Beutestücke aus dem Polenfeldzug. Mehr Interesse jedoch fand eine andere Ausstellung unter dem Motto: «Großdeutschland und die See». Um auf sie aufmerksam zu machen, hatten sich die Veranstalter etwas besonderes ausgedacht. Die Münchner Zeitung glossierte das unter der Überschrift: «Benzinbehälter – Bombe – Boje»:

«Am Sendlinger Torplatz, gleich neben der Tankstelle, liegt ein riesiger, langer Behälter, der seinen Kugelbauch protzig in der Sonne bläht. ‹Kiel› steht auf der Spitze des Ungetüms zu lesen. Leute stehn herum. ‹Was is jetzt nacha des?› fragt einer. Ein paar reden, daß es eine Bombe sein könnte oder gar ein Lufttorpedo. Da klärt ein ganz Gescheiter die Neugierigen auf: ‹Des sieht ma doch, daß des der Benzinbehälter für die Tankstellen da ist. Der wird so tief in die Erdn neilasse und hat so einen schmalen Hals, daß nixn passiert, wenn mal einer mit einem Zündhölzl oder seiner Zigarrl znah hintupft.›»»

Martha Walz erlebte die Bombardierung in Rosenheim

«Am 24. Oktober 1941 war der erste Flugzeugalarm in Rosenheim. Wir wußten aber, daß es in München schon mehrere Angriffe gegeben hatte. Rosenheim hielten wir für zu unbedeutend, als daß wir bombardiert werden könnten. Es gab hier zwar einen Verschiebebahnhof. Wir dachten aber, wir seien schlecht zu treffen. Mein Mann war Soldat in Polen. Als dann die Bombenangriffe auf München massiver wurden, konnten wir das vom dritten Stock unseres Hauses sehen. Ich sah den Feuerschein über der Stadt mit meinen beiden Kindern und dachte an die betroffenen Kinder und Zivilisten. Ich war unendlich traurig. Es wurde uns klar, was ein Bombenangriff ist.

Mein Vater hatte mit Eisenbahnschwellen einen Schutzraum gebaut. Er schlug vor, daß wir uns während der Angriffe trennen, damit wir nicht alle gemeinsam getroffen werden könnten. Ich bin also mit meinen Kindern in den nächsten Luftschutzkeller gegangen. Das war ein Schacht – tief unten konnte man in schwarzes Grundwasser sehen. Mit einer Nachbarin und ihrem Sohn sind wir dann zu fünft in den nächsten Keller gegangen. Viele Leute waren schon dort. Mit Müh und Not bekamen wir auf einer Bank Platz. Die wollten uns dort nicht. Ein Cafetier hatte sich eine Ecke mit Sauerstofflaschen eingerichtet. Wenn also der Keller getroffen worden wäre . . . Die drei Luftschutzwarte haben immer die Türen des Kellers offen gelassen. Sie standen draußen und

deutschland und die See».

Klopfzeichen geben!

Wie sich Verschüttete verhalten sollen

Klopfen, Schaben und Rufen von Verschütteten wird von den Horchgeräten sehr gut aufgenommen. Diese Zeichen sind möglichst in gleichmäßigen Abständen zu geben. Nicht bewährt haben sich dagegen Trillerpfeifen und andere Pfeifen. Ihr Ton geht in dem vorhandenen Verstärkergeräusch (Summen) unter.

Ganz besonders zweckmäßig ist das Klopfen, Schaben und Rufen, wenn die Verschütteten wahrnehmen, daß die durch die Bergungsarbeiten bedingten Geräusche aufhören, da dann die Horchgeräte in der Regel in Tätigkeit gesetzt werden.

Münchnerin tot aufgefunden

Wie aus Kufstein berichtet wird, wurde in der Nähe der Sparchner Klamm die Leiche der 42jährigen

19 *Bombenkrieg: Viel furchtbarer als je befürchtet. Anweisung zum Überleben.*

schauten, ob etwas passiert. Aller Protest der Mütter hat nichts genutzt. Wir sind also bei jedem Alarm in den Keller gegangen, jedes der Kinder mit einem kleinen Koffer. Der Bub war drei Jahre, das Mädel sechs. Von Schlaf war keine Rede.

Am 20. Oktober 1944 war dann ein großer Angriff. Die Bahnlinie Salzburg–Innsbruck oder Kufstein–Wien ist von den Flugzeugen gesucht worden. Bei diesem Angriff gab es ungefähr neunzehn Tote. Wir waren alle entsetzt. Wie ein Lauffeuer ging es herum, daß eine Bäckerei getroffen worden war und daß Brot verteilt würde – dort wo die vielen Toten waren. Es war die Bäckerei neben der Kufsteiner Bahnlinie. Als meine kleine Tochter von dem Brot hörte, raste sie hin und kam tatsächlich mit einem warmen Wecken nach Hause. Ich zittere heute noch, wenn ich daran denke.

Am 20. November 1944 passierte ein Notabwurf eines amerikanischen Bombers. Der Bomber war angeschossen worden und warf deshalb seine Bomben ab. Eine Bombe fiel vor unseren Luftschutzkeller. Die Luftschutzwarte hatten wieder einmal die Türen offen gelassen, und so warf es uns im Keller ganz schön herum. Ich habe meine Kinder um den Hals genommen und mich darüber gebeugt. Wir haben gebetet. Eine weitere Bombe fiel in unseren Garten –

*ganz nahe der Hauswand. In diesem Keller waren
meine Eltern. Die Bombe riß einen Baum heraus
und hat ihn sieben Häuser weiter auf ein Dach gedrückt. Mein Vater war einundsiebzig Jahre, meine
Mutter vierundsechzig. Sie war sehr zart und fürchtete sich. Mein Vater klammerte sich an seinen Zorn.
Er hat meine Mutter an sich gerissen und unter einen
Türstock gestellt. Alles war voller Staub und Mörtel,
die Türen waren herausgeflogen. Kein Fenster war
mehr ganz. Das Dach hatte zweiundzwanzig Löcher. Das Haus hat heute noch Sprünge, es war aus
seinem Eckverband gerissen worden.
Wir haben nie einen Bezugsschein bekommen für
einen Sack Kalk, Zement, einen Nagel, für Bretter
oder Glasscheiben. Bei der Wiedergutmachung
mußten wir 22000 Mark zahlen. Mein Vater stotterte
sie von seiner Rente ab. Unser Bombenschaden
wurde nicht anerkannt. Wir hatten ja noch ein Dach
über dem Kopf – wenn auch ein kaputtes.
Nach dieser ‹versehentlichen› Bombe dauerte es
nicht lange, und die Schaulustigen kamen aus der
Stadt. Ich brachte die Kinder zu einer Nachbarin,
der nichts passiert war und hab gesagt: ‹Sie haben
noch ein geheiztes Zimmer, bitte, behalten Sie meine
Kinder.› Sie war höchst pikiert.
Zusammenhalten habe ich in dieser Zeit nicht ken-
nengelernt. Die Menschen waren schofel und böse
zueinander.
Mein Mann war in Rußland – dann später in Frankreich vermißt. Alle meine Briefe an ihn kamen blutig
zurück. Für Verzweiflung war kein Platz. Es gab
noch mehrere Angriffe, eben auch auf den Bahnhof. Bei einem Angriff wurden viele Menschen getroffen. Sie waren alle tot. Wie viele es waren, haben
wir nie erfahren. Wir sprachen mit Soldaten, die
dort aufgeräumt hatten, die haben uns einiges
erzählt.
Dann bat ich meine Verwandten, ob sie uns nicht
aufnehmen könnten – in Aschau. Da sind keine
Bomben gefallen. Wir wollten wieder mal schla-
fen.»*

Gesetzlich war vorgeschrieben, daß bei den großen
Ausstellungen Luftschutzräume vorhanden sein
mußten. Auch bei Probealarm mußten die Leute in
die Keller. Geprobt wurde allerdings immer mit
dem Sirenenton «Entwarnung».
In der Stadtverwaltung beschäftigte man sich nicht
nur mit der Behebung von Kriegsschäden und Vorbereitungen für einen verstärkten Bombenkrieg.

In einzelnen Referaten wurde für die glorreiche
Zeit nach dem von den Nazis täglich versproche-
nen Endsieg gearbeitet. Es gab einen Generalbau-
rat, der Wohnungstypen für den schon damals «so-
zial» genannten Wohnungsbau entwickelte. An
laufenden Bauvorhaben werden aus dieser Zeit
genannt: Westend-Bergmannstraße mit dem Architekten Neumaier, Wenschow Wohnhäuser mit
Architekt Biehler und vor allem Allach mit Sepp
Ruf.
Als Deutschlands modernstes Hallenbad wurde
Anfang Oktober 1941 das Nordbad eröffnet.
Radio und Zeitungen verbreiteten täglich Sieges-
meldungen. Wer jedoch den Propagandarummel
durchschaute, hatte allen Anlaß zur Sorge. Ohne
größere Vorankündigung hatte Hitler unter Bruch
des knapp zwei Jahre alten deutsch-sowjetischen
Nichtangriffspaktes am 22. Juni 1941 die Sowjetunion überfallen. Amerika stellte Moskau sofort
einen Kredit von einer Milliarde Dollar zur Verfügung und trat am 11. Dezember selbst in den Krieg
gegen Deutschland ein.
Wenn es auch in München im Verlauf des Jahres
verhältnismäßig ruhig geblieben war, hatte der
Bombenkrieg seit Juli doch richtig eingesetzt. Ziel
der britischen Flugzeuge war vornehmlich das
Ruhrgebiet, wo die ersten sogenannten Flächenan-
griffe stattfanden. Die britischen Maschinen steu-
erten dabei ihr Ziel in mehreren Wellen an und
warfen zu etwa fünfzig Prozent Brandbomben ab.
Insgesamt gingen im Jahre 1941 auf Deutschland
etwa 23000 Tonnen Bomben nieder. Damit war allen Verantwortlichen klar geworden, daß der Einflug feindlicher Flugzeuge nicht zu vereiteln war.
Aus Verzweiflung darüber und wegen der Fehlent-
scheidung der obersten Kriegsführung nahm sich
der Chef des Technischen Amtes des Luftfahrtministeriums, Generaloberst Udet, Mitte November
das Leben.
Nicht nur Existenzsorgen machten diesen dritten
Kriegswinter bitter. Den sportbegeisterten Münchnern wurde das Schönste genommen: Alle Skier
mußten für die Soldaten an der Ostfront abgegeben werden. Skisportveranstaltungen wurden
abgesagt.

Wilhelm Förs *über seine damaligen Erlebnisse:
«Im März 1940 wurde zum Schutz der Werksanla-
gen der Firma Linde's Eismaschinen AG in Höllriegelskreuth ein Flakturm aufgestellt und eine Flak-*

einheit stationiert. Als im Juni 1940 die ersten Bomben auf München und Grünwald fielen, glaubte kaum jemand an eine Verschärfung des Luftkrieges. Am 9. November 1940 fand ein Marsch der NSDAP zur Feldherrnhalle statt. Die englischen Bomber flogen einen der schrecklichsten Angriffe auf München.

Die Belegschaft verließ bei Ertönen der Sirenen das Werk und ging in den Forstenrieder Park. Frauen und Kinder, die im Werksbereich wohnten, gingen in den Keller. 1941 war Fliegeralarm selten. Ich schrieb in mein Tagebuch viermal Alarm. 1942 ahnten wir die Katastrophe. Der Januar brachte dreißig Grad minus sowie Kohle- und Stromeinsparungen. Vom Kriegsdienst zurückgestellte Arbeiter und Angestellte wurden zur Wehrmacht eingezogen. Materialvorschriften wurden verschärft – Ersatz von Kupfer durch Aluminium.

Die Folgen des katastrophalen Winterfeldzuges in Rußland machten sich bei uns bemerkbar. Schwere Luftangriffe wurden gemeldet, so der vom 20. September 1942 auf München und Umgebung. Viele Münchner siedelten ihre Familie auf das Land um. Im Werk wurden die Luftschutzmaßnahmen verstärkt. Luftschutzkeller und Splittergräben wurden gebaut. Ein weiterer Nachtangriff auf München und Umgebung mit Spreng- und Brandbomben im Dezember, erstreckte sich bis Pullach und Höllriegelskreuth und zog zum erstenmal auch unser Werk in Mitleidenschaft.

Das Jahr 1943 brachte eine weitere Verschärfung des Luftkrieges auf deutsche Städte. Am 8. 3. 1943 wurde Nürnberg, am 9. 3. München mit einbezogen.

Durch eine Luftmine an der Kreuzung der alten Wolfratshauser- und der Lindestraße gingen im Werk und in den Wohnungen sämtliche Fenster in Scherben.

Die Flugzeugangriffe wurden 1944 zahlreicher. Am 21. 2. Tölz und Lenggries, am 22. 2. Salzburg.

Am 16. 6. 1944 erließ der Werkluftschutzleiter, Dipl.-Ing. F. Eggelsmann, folgende Bekanntmachung:

‹Entsprechend der verschärften Luftlage, und besonders in Hinsicht auf einen zu erwartenden massierten Luftangriff auf unser Werk Höllriegelskreuth, wurde heute die vollständige Räumung des Werkes bei Tagesalarm befohlen. Die Gefolgschaft muß sich auf eine Strecke von mindestens eintausend Meter vom Werk entfernen.›

20 Luftschutz in der Industrie. Zeitzeuge Wilhelm Förs (rechts).

Am 19. Juli 1944 löste der Werkspförtner Pfister um 9.17 Uhr Flugzeugalarm aus. Belegschaft und Anwohner verließen wie üblich das Werksgelände, um im nahen Forstenrieder Park in Splittergräben und im teilweise fertiggestellten Luftschutzstollen am Isarhang Schutz zu suchen. Pförtner Pfister ging in den Einmannbunker. Mit einigen Arbeitskollegen des Werkschutzes blieb ich mit einem Lehrling im Gelände. Plötzlich hörten wir starkes Motorengeräusch und sahen die Flugzeugpulks aus Richtung Bad Tölz ankommen. Wir fuhren schnellstens mit unseren Fahrrädern in Richtung Buchenhain, um einen Splittergraben aufzusuchen. Wenig später fielen die ersten Bomben auf Höllriegelskreuth. Die in drei Wellen anfliegenden Verbände warfen im sogenannten Teppichwurf insgesamt 486 Sprengbomben auf die beiden Werke Linde und Pietsch und die Umgebung.

Viele von uns verloren an diesem Tag ihre Wohnung, ihr Hab und Gut und ihre Arbeitsstätte. Dazu gehörten auch wir, meine Familie und ich.

Es blieb uns nicht viel Zeit zum Überlegen, wir waren ein kriegswichtiger Betrieb, und die für die Kriegswirtschaft zuständigen Stellen forderten die Instandsetzung des Werkes, weil der Ausfall unserer Lieferungen den Einsatz der V 2 infrage gestellt hätte, und davon versprach man sich noch eine Wende des Krieges. So wurden uns unverzüglich von der Wehrmacht Soldaten und Gefangene für Aufräumungsarbeiten zur Verfügung gestellt.

Am 19. August ruft Goebbels den TOTALEN KRIEG aus, am 24. August müssen wir die Arbeitszeit auf sechzig Wochenstunden verlängern. Am 1. September schreibt der Völkische Beobachter: ‹Der sichere Sieg steht uns bevor!› Die Instandsetzung des Betriebes wird immer wieder durch Alarm und Luftwarnungen unterbrochen. Die Luftangriffe gehen unaufhörlich weiter. München wird immer mehr das Ziel feindlicher Verbände – so am 11. September Neubiberg, am 12. BMW und Dornier, am 13. die Flugplätze und am 22. das Bahnhofsviertel.

Der Münchner Sender (der Gauleiter) teilt mit, daß starke Flugzeugverbände achtzig Kilometer südöstlich von München unser Gebiet anfliegen. Wir suchen den Luftschutzkeller auf. Deutsche Jäger sind wie üblich keine da, von der Flakabwehr ist nicht viel zu hören. Die wenigen noch vorhandenen Geschütze sind mit fünfzehn- und sechzehnjährigen Luftwaffenhelfern besetzt. Für die Flakabwehr in Pullach standen nur in der Nacht Werksangehörige von Linde und Pietsch zur Verfügung. Während München von 11 bis 13 Uhr erneut bombardiert wird, sitzen wir schweigend im Keller; einige Frauen beten. Nachdem scheinbar alles vorüber ist, inspizieren wir wie üblich die Häuser auf Brandbomben. Starke Rauchwolken stehen über der Stadtmitte und im Westen von München. Es ist noch keine Viertelstunde vergangen, als erneut Alarm gegeben wird. Es sind aber wohl nur einzelne Flugzeuge, so daß bald darauf Entwarnung erfolgt. Es sei noch erwähnt der Angriff auf die Hess-Siedlung in Pullach am 16.11., der Angriff vom 22.11., als die Frauenkirche und die Michaelskirche zerstört und Pullach, Baierbrunn und Schäftlarn bombardiert wurden.

21 «Viele von uns verloren an diesem Tag ihre Wohnung, ihr Hab und Gut und ihre Arbeitsstätte.» Frau Förs in den Trümmern des Werkswohnhauses Lindestraße 2.

Die noch im Werk verbliebenen Arbeiter und Angestellten werden außerhalb der Arbeitszeit zum Volkssturm aufgerufen. Panzergräben werden geschaufelt.

Ende März wird der Flughafen München-Riem vernichtet, am 9. April wird die Munitionsfabrik Wolfratshausen (Geretsried) bombardiert. Bahnanlagen, Züge und Autokolonnen sind das Ziel vom Kampfflugzeugen und Tieffliegern.

Am 12. April 1945 nehmen die Standgerichte ihre unheilvolle Tätigkeit auf und am 16. hören wir im Radio einen Aufruf Hitlers: ‹Berlin bleibt deutsch, Wien wird wieder deutsch und Europa nie russisch. Jetzt kommt die Wende.›»

5. Vorspiel des Weltgerichts (1942)

«Deutsche Hausfrauen, Betriebsführer und Gefolgschaftsmitglieder! In den Ländern unserer Gegner sind überall Aktionen zur Einsparung von Strom und Gas im Gange, bei denen Zwang angewendet wird. Ich verlasse mich auf Eure freiwillige Mitarbeit. Der Appell an Einsicht und Hilfsbereitschaft des Deutschen wird auch hierfür genügen. Spart Strom und Gas – alle Energie für den Endsieg.»

So wandte sich Hermann Göring als Beauftragter für den Vierjahresplan auch an die Münchner Bürger.

Dabei konnten die Hausfrauen mit Strom und Gas schon lange nicht mehr verschwenderisch umgehen. Die Benutzung schwacher Glühbirnen, die ständig in Erinnerung gerufene Pflicht zum Verdunkeln tat ein übriges. Buben und Mädchen wurden klassenweise in eine «Lehrreiche Luftschutzschau» in der Oberschule für Jungen an der Müllerstraße geführt, um dort zu erfahren, was die Luftschutzgemeinschaft eines Hauses zusammen tun könne, um sich vor Schaden zu bewahren. Mit stärkeren Bombardements mußte nämlich gerechnet werden, nachdem das Air Ministry in London am

14. Februar 1942 den Bombern befohlen hatte, alle Angriffe «auf die Moral der feindlichen Zivilbevölkerung, insbesondere der Industriearbeiter» zu konzentrieren. Churchill lag eine Untersuchung vor, nach der im Jahre 1938 über 22 Millionen Deutsche in 58 Großstädten mit über 100 000 Einwohnern gelebt hätten. Sie könnten wegen ihrer Ausdehnung leicht gefunden und bombardiert werden.

Aus dem Tagebuch von **Helene Marschler**
29. 8. 1942

Letzte Nacht war Fliegeralarm. Nach der Zerstörung von Köln und Mainz sind wir vorsichtig geworden. Gleich bei Ertönen der Sirene lasse ich die Kinder im Schlafanzug und Pantoffeln in den Keller gehen. In einem Koffer sind ihre Trainingsanzüge, damit sie sich unten anziehen können. In der Stadt sind viele Schäden entstanden: Die Deutschen Werkstätten sollen stark gelitten haben, ferner fielen Bomben in der Briennerstraße, gegenüber dem Haus der Kunst, in der Augusten- und Ottostraße. Alle Leute rechnen mit weiteren verstärkten Angriffen.

Letzte Nacht wurden zweiunddreißig englische Flugzeuge abgeschossen. Auch kommende Nacht wird wieder Vollmond sein. Ob sie wiederkommen?
1. 9. 1942

Beethoven-Konzert im Brunnenhof der Residenz. Etwa tausend Menschen hörten im Halbkreis in der Dämmerung andächtig der Musik zu. An den Krieg erinnert nur der leere Sockel des Brunnens, dessen Plastik vor den Luftangriffen in Sicherheit gebracht wurde, sowie die abgeblendeten Lämpchen der Musiker. Einige Denkmäler aus Bronze sind zum Einschmelzen weggekommen.
Mit Goethe fing es an.
20. 9. 1942

In der Nacht vom 19. auf den 20. fand der erste Großangriff auf München statt.

22 *Kriegstagebuch geführt: Helene Marschler*

23 «Am 22. Oktober 1940 wird unser 5. Kind geboren: Elisabeth».

22.9.1942

Nach vier Tagen meines Hechtsee-Aufenthaltes fiel mir um halb eins in der Nacht das über eine Stunde andauernde pausenlose Flugzeuggeräusch auf. Die Flugzeuge waren unbeleuchtet. Vor Sorge konnte ich nicht mehr einschlafen. In Kufstein war Alarm. In der Frühe kamen keine Zeitungen, dann etwas später die Nachricht, daß der Zugverkehr mit München eingestellt worden sei. Natürlich versuchte ich gleich ein Telefonat mit München zu bekommen. Als das nicht durchkam, versuchte ich ein Blitzgespräch. Nach einer Stunde weiteren angstvollen Wartens wurde mit mitgeteilt, die Nummer sei nicht erreichbar. Nach zwei weiteren Stunden sprach ich Anna. Von ihr erfuhr ich, daß alle gesund seien. Mama war in allerFrühe schon zu Anna geradelt, um Hilfe anzubieten. Der Angriff war mit großer Wucht auf Solln und die Ludwigshöhe niedergegangen.

Erst in der Frühe des nächsten Tages konnte ich für einen überfüllten Zug eine Karte bekommen und mit viel Verspätung nach München fahren. Hier waren die Straßen mit Splittern dicht übersät. Die Schäden stammen in erster Linie von der Flakabwehr.

Schlimm erwischt hat es vor allem die Sonnenstraße. Schon der Ludwigshöher Bahnhof bot einen traurigen Empfang. Er ist einfach aus dem Boden gehoben worden. Immerhin verdanken wir es ihm, daß unser Haus nicht mehr abgekriegt hat, denn er hat den Luftdruck eines Lufttorpedos, das jenseits der Gleise niederging, stark abgebremst. Der erste Eindruck war auch bei uns grausig. Fast alle Scheiben waren kaputt, die Bleiverglasungen hingen heraus, Fensterrahmen sind gesplittert, das Dach an großen Stellen abgedeckt. Eine dicke Schicht Staub und Schutt liegt in vielen Zimmern. Bei den meisten Türen sind die Schlösser herausgerissen und die Türstöcke gesplittert. Überall Sprünge in Wänden und Decken.

Seit heute geht das elektrische Licht wieder. Am schwärzesten sehe ich für die Holz- und Maurerarbeiten. Die Glaser- und Dacharbeiten läßt die Stadt machen, soweit es vordringlich ist. Wichtig wäre, daß es nicht kalt und regnerisch wird, in unserem fenster- und teilweise dachlosen Bau. Außerdem besteht die Gefahr des Bestohlenwerdens.

Am schlimmsten hat es auf der Ludwigshöhe die Heilanstalt Ranke getroffen, wo es mehrere Tote

33

24 «*Wer plündert wird erschossen!*» *Wer jedoch alles verloren hatte, dachte kaum an die Gefahr. Diese Aufnahme wurde durch einen Türspalt gemacht.*

gab. Auch heute werden noch Leute ausgegraben. Eine große Trauerfeier fand für einhundertacht Menschen statt, inzwischen sind es mindestens fünfhundert geworden. Bei den Ruinen sind Soldaten als Wachen und Anschläge: «WER PLÜNDERT WIRD ERSCHOSSEN!»

8. 11. 1942
Die Münchner sind in hellen Scharen geflohen, weil alles mit einem schweren Angriff rechnete. Doch regnete es so, daß es still blieb. Abends Rede des Führers. Die Überraschung dieses 9. November blieb aber nicht aus. Die Amerikaner sind mit einer bedeutenden Streitmacht in Nordafrika gelandet.

10. 11. 1942
Der Widerstand der Franzosen in Afrika ist gering. Rommel muß eine große Niederlage erlitten haben.

11. 11. 1942
Aufruf des Führers an die Franzosen: Die deutschen Truppen sind in Frankreich einmarschiert.

21. 12. 1942
Angriff auf München trotz dichten Nebels. Hannes und ich in der Sollner Kirche, Brände in Solln. Bei Hansens in Nymphenburg vier Brandbomben im Haus. Sobald das Schießen nachließ, Heimfahrt auf dem Rad.

Heeresbericht meldet Durchbruch der Russen bei Woronesch.

In München waren Berichte über Fliegerangriffe bis zum Spätsommer 1942 fast ganz aus den Zeitungen verschwunden. In der Nacht zum 20. September aber mußte man erfahren, daß das nur die

Ruhe vor dem Sturm gewesen war. 65 Tote lautete die erste Meldung, als man die Opfer von drei angegriffenen Krankenhäusern und einigen Wohnhäusern barg. Die Zahl vergrößerte sich schnell. 180 Särge standen schließlich vor der Aussegnungshalle am Nordfriedhof, wo die Spitzen von Partei, SS, Wehrmacht und Stadtverwaltung zum Abschied die «Gefallenen» ehrten. Nach drei Schuß Salut, dem Absingen des Deutschland- und Horst-Wessel-Liedes wurden die Toten zur letzten Ruhe geleitet. Von der Anwesenheit von evangelischen und katholischen Geistlichen ist in den Berichten keine Rede.

Die Angehörigen bekamen statt Rat und Zuspruch markige Reden zu hören. Der Führer – so Gauleiter Giesler – läßt der Münchner Bevölkerung «seine Anerkennung für ihre gute Haltung zum Ausdruck bringen». Der Zweck der Engländer, die Bevölkerung einzuschüchtern, sei nicht erreicht.

Im Gegenteil:
«Ein starker Abwehr- und Selbstbehauptungswille ist entflammt, die Zermürbungstaktik des Feindes ist, wie anderwärts auch, an der unbeugsamen Haltung der Bevölkerung gescheitert.»

Kardinal Faulhaber erfaßte die Stimmung der Münchner wohl besser, als er am 28. September 1942 beim Requiem für die Bombenopfer im Dom predigte: «Was sich vor acht Tagen in München abspielte, war wie ein Vorspiel des Weltgerichts... Auf Bildern, die durch die Presse über die Gedenkfeier auf dem Friedhof im Inland und wohl auch im Ausland verbreitet wurden, ist kein christliches Kreuz zu sehen. Und doch waren die meisten von diesen Toten Christen. Und könnten die Toten heute noch reden, würden sie flammenden Einspruch erheben und sagen: ‹Wir wollen im Zeichen des Kreuzes begraben werden!›»

Auch die Evangelische Kirche beschwerte sich über Form und Inhalt dieser offiziellen Begräbnisfeierlichkeiten. Der Pfarrer der Erlöserkirche legte in einem ausführlichen Brief an das Evangelisch-Lutherische Dekanat dar, wie sein katholischer Amtsbruder und er wiederholt warten mußten, bis die Vertreter von Wehrmacht und Partei samt ihrer Fahnen die offenen Gräber verlassen hatten. Erst dann durften sie die Einsegnung vornehmen. Der Geistliche beklagt die «unwürdige Behandlung» durch die Behörden und schließt seinen Bericht mit dem Satz: «Gleich dem katholischen Amtsbruder

weigere auch ich mich, unter solchen Umständen noch einmal einen Dienst zu tun.»

Im übrigen hatte sich natürlich auch das kirchliche Leben nach dem Luftschutz zu richten. Im «Amtsblatt für die Erzdiözese München und Freising» ist nachzulesen, wie in Zusammenarbeit mit den zuständigen Stellen für die Denkmalpflege dafür gesorgt wurde, daß die kulturellen Schätze in den einzelnen Kirchen nicht nur in Listen erfaßt, sondern auch in Sicherheit gebracht wurden. Vieles wurde in von den größeren Städten weit entfernten Landpfarrhöfen oder in Klöstern, wie zum Beispiel in Ettal, untergestellt. Wertvolle Bilder, Plastiken und Kultgegenstände der Frauenkirche wurden unter dem Nordturm bombensicher verpackt. In den Kirchen mußten die schweren Triumphkreuze abgenommen und an den Wänden aufgestellt oder gleich auf den Boden gelegt werden, damit sie beim Herabfallen während der Angriffe nicht zusätzlichen Schaden anrichteten. Alle Priester wurden angewiesen, in der ersten Viertelstunde nach einem Bombenangriff die Generalabsolution zu erteilen und sich umgehend bei den Rettungsstellen einzufinden, um geistlichen Beistand zu leisten.

Wie sehr die Verantwortlichen mit weiteren Einflügen rechneten, ging daraus hervor, daß ein neues Sirenensignal eingeführt wurde. Die dreimalige Wiederholung eines hohen Dauertones von fünfzehn Sekunden Länge bedeutete «nur» das Herannahen feindlicher Flugzeuge, die vereinzelt Bomben werfen könnten. Erhöhte Aufmerksamkeit sei geboten, das Alltagsgeschäft aber könne noch weitergehen. Zugleich wurde freier Wohnraum für die Geschädigten gesucht, denen versprochen wurde, daß ihre Häuser «von Amts wegen» in Ordnung gebracht würden.

Die Verletzten in den Krankenhäusern bekamen bald hohen Besuch. In Anwesenheit von Fotografen erschienen Gauleiter Giesler und Oberbürgermeister Fiehler an den Krankenbetten. «Ihr Händedruck», so ein Zeitungsreporter, «gab den von Trümmern Getroffenen oder an Rauchvergiftungen Leidenden Trost, Kraft, aber auch einen stillen Anflug von Freude. Die Stunden des Besuchs aber waren voll tiefen Ernstes.»

Kreisleiter Lederer stand wenige Tage später auf dem Nordfriedhof, um von weiteren Toten «Abschied zu nehmen». Die «ruchlose Tat unserer Feinde», so rief er aus, «wird ihr Schuldkonto aufs neue belasten und bei der Endabrechnung berücksichtigt werden».

Nach solchen Meldungen beeilten sich die Münchner Zeitungen, schnell von anderen Ereignissen zu berichten. So gab es Ende September festliche Stunden im Hofbräuhaus, als der Jahrgang 1924 in die Partei aufgenommen wurde. Fanfaren, Standarten und Fahnen waren dabei, als zum Schluß der Veranstaltung dem Führer gehuldigt wurde.

Mancher Münchner mag es begrüßt haben, daß die dritte Reichskleiderkarte bis zum 30. Juni 1944 verlängert wurde.

Am 18. Oktober 1942 versuchte Reichspropagandaminister Goebbels während einer großen Rede an der Feldherrnhalle zu begründen, warum feindliche Flugzeuge nun schon wiederholt bis München durchgedrungen seien. Die deutschen Bomber würden bei Stalingrad und im Kaukasus gebraucht. In seinen Schlußsätzen meinte er dann: «München ist unter den harten Schlägen moralisch gewachsen. Es wird sich zum Ehrgeiz machen, jeder anderen Stadt ein leuchtendes Beispiel zu geben. München soll an nationaler Opferbereitschaft, an hoher patriotischer Gesinnung, an Zähigkeit, an Stärke und Ausdauer des Herzens allen anderen Städten ein Beispiel geben. Von dieser Stadt soll immer für das ganze Reich, vornehmlich in den kritischen Stunden dieses Krieges, der Ruf erschallen, den wir so oft Adolf Hitler entgegenriefen, wenn es hart auf hart geht: ‹Führer befiehl, wir folgen!›»

Goebbels wußte sehr wohl, warum er den Münchnern Mut machen mußte. Sie hatten ja erfahren, daß die Engländer seit Ende März unter Befehl des neuen britischen Luftmarschalls Harris mit ganzen Bomberpulks die deutschen Großstädte angriffen. Bis zu 300 Flugzeuge hatten über Lübeck rund 500 Tonnen Spreng- und Brandbomben niedergehen lassen. Vor allem der «Tausend-Bomber-Angriff» auf Köln in der Nacht vom 30. auf den 31. Mai hatte Deutschland schockiert. Ähnlich schwere Angriffe hatten Essen und Bremen erlebt. Bis zum 1. September waren fünfundzwanzig Städte mit mehr als jeweils hundert Maschinen angegriffen worden. Seit dem August 1942 wandten die Engländer die sogenannte Pfadfindermethode an. Leichtere Flugzeuge – Mosquitos – flogen den Verbänden voraus und steckten das Flächenziel durch den Abwurf von Leuchtzeichen ab. Insgesamt gab es im Jahre 1942 etwa tausend Angriffe auf Deutschland. Während die Royal Air Force meist in der Nacht

kam, hatte sie es am 17. April 1942 sogar gewagt, tagsüber die MAN-Werke in Augsburg anzufliegen. Ein einziges Mal zeigte die «Münchner Zeitung» kurz vor Weihnachten auf der ersten Seite das Foto eines abgeschossenen britischen Flugzeuges, das am Angriff drei Tage vor Heiligabend teilgenommen hatte. Artikel mit der Überschrift: «Unsere Flak hat ihren Mann gestanden» konnten die Münchner angesichts der häufigen Alarme nicht so recht überzeugen.

Während sich die Tragödie vor Stalingrad bereits abzuzeichnen begann, kam Hitler wie üblich wieder zum 9. November in den Löwenbräukeller. Er erklärte seine Kriegsziele, verteidigte seine Entscheidungen und schloß mit den Worten: «Denkt ausnahmslos, Mann und Weib, nur daran, daß in diesem Kriege Sein oder Nichtsein unseres Volkes entschieden wird. Und wenn Ihr das begreift, dann wird jeder Gedanke von Euch und jede Handlung immer nur ein Gebet für Deutschland sein!»

Sechs Wochen später wurde München erneut bombardiert. Diesmal traf es die Gegend des Nymphenburger Schlosses und eins der Kavaliershäuser, das als Reservelazarett genutzt wurde.

Not macht erfinderisch. Das galt auch für den Stukkateurmeister **Fritz Bender:**
«Ich wohnte im Haus Rosental Nummer 2. Über uns waren sieben Betondecken. Wir saßen im Keller – und da flog die erste Bombe schräg in das Kellerfenster hinein. Von den dreizehn Hausbewohnern waren elf tot. Dieses Erlebnis bestärkte mich, einen lang gehegten Gedanken weiter zu entwickeln – nämlich eine Kugel zu bauen, und die Menschen bei Bombenangriffen in diese Kugel hineingehen zu lassen. Die Kugel war ungefähr acht Zentimeter stark, hatte einen Durchmesser von einhundertfünfzig Zentimeter und Sitzbänke und sollte im freien Feld liegen. Sechs oder acht Personen hatten darin Platz. Wir verschickten diese Kugeln weit über die Grenzen Bayerns hinaus. Die Konstruktion bzw. die Anregung zur Konstruktion kam von dem Architekten Laible aus Stuttgart, ungefähr um 1942/43. Die Entwicklung dieser Idee war äußerst schwierig. Ich hatte einen Freund, das war der Herr Klepper aus Rosenheim. Wir hatten uns überlegt, wie wir die innere Schalung machen – und so bauten wir eine Luftblase ähnlich wie bei einem Fußball. Das war die innere Schalung. Die äußere Schalung hatten wir

36

aus Holz konstruiert und mit Blech beschlagen. Dann experimentierten wir in der Fröttmaninger Heide. Wir hatten einen längsgerichteten Betonunterstand gebaut – und in einer Entfernung eine Kugel in die Erde gebaut. In diese Kugel hatte ich zwei Hasen gesetzt. Dann brachten wir eine fünfhundert-Kilo-Bombe zur Explosion. Und siehe da, die Kugel bewegte sich nur wenig und blieb ganz. Die Hasen waren noch lebendig und hatten ihren Klee weitergefressen.

Seit diesem Versuch waren wir davon überzeugt, daß man in einer Kugel am besten gegen die Bombardierungen geschützt war!

25 *Nach dem Angriff* ▷

6. Lebensmittelkarten aus der Luft (1943)

«Es ist in diesen vier Kriegsjahren dem deutschen Volke klar geworden, daß es um Sein oder Nichtsein geht.»

So lasen und hörten es die Münchner erneut in der Neujahrsbotschaft Hitlers. Und nur wenige Wochen später hielt Reichspropagandaminister Goebbels im Berliner Sportpalast seine Rede zum totalen Krieg, die von den Zeitungen auf drei Seiten vollständig abgedruckt wurde. Zehn Fragen richtete Goebbels an seine Zuhörer, die von dem ausgewählten Publikum mit frenetischem Jubel bejaht wurden. Die letzte Frage ließ ahnen, was auch die Münchner zu erwarten hatten! «Wollt Ihr..., daß die Heimat die schweren Belastungen des Krieges solidarisch auf ihre Schultern nimmt und daß sie für hoch und niedrig, arm und reich in gleicher Weise verteilt werden?»

137 mal mußten die Münchner an der «Heimatfront» im Jahre 1943 in die Keller, wo man ohne Rücksicht auf anwesende Parteimitglieder manchmal mit Witzen Wut und Ängste abreagierte. Da fragte zum Beispiel einer den anderen: «Wem haben wir die Nachtjäger zu verdanken?» Antwort: «Hermann Göring.» «Überhaupt die Luftwaffe?» «Hermann Göring.» «Wem die Flak?» Antwort: «Hermann Göring!» «Auf wessen Befehl hat Hermann Göring das alles gemacht?» «Auf Befehl des Führers.» «Wo wären wir überhaupt, wenn Hermann Göring und der Führer nicht da wären?» – «Im Bett!»

Sarkastisch meinte man auch:

«Wer schon geschlafen hat, sagt beim Betreten des Luftschutzkellers ‹Guten Morgen›. Wer noch nicht geschlafen hat, ‹Guten Abend›, wer noch schläft ‹Heil Hitler!›»

Trotz der Niederlage von Stalingrad wurde in Presse und Funk weiterhin Optimismus verbreitet. Die Hinrichtung der Geschwister Scholl und von Christoph Probst am 22. Februar 1943 wurde nur kurz erwähnt, statt dessen über eine angeblich unheilbare Krankheit Churchills spekuliert und Steuervergünstigungen für mitverdienende Ehefrauen angekündigt.

Ende Februar wurden Kürschner- und Juweliergeschäfte geschlossen, da man andere Sorgen habe und alle Bemühungen der Rüstungsproduktion zur Verfügung stellen müßte. Friseure durften keine Schönheitspflege mehr treiben. Einen Monat später wurde – wegen der Konzentration aller Kräfte – sogar die «Münchner Zeitung» eingestellt, die bis zum Schluß kaum Bilder von den Angriffen auf München gebracht hatte, dagegen Fotos von abgeschossenen britischen Flugzeugen veröffentlichen mußte.

Am 10. März 1943 wurde München erneut angegriffen. Getroffen wurden unter anderem fünf Krankenhäuser, Mütter- und Altersheime, drei Kirchen, ein Flügelbau der Residenz, die Akademie der Bildenden Künste und die Staatsbibliothek, wo diesmal und bei späteren Treffern insgesamt 450000 Bände verbrannten. In Flammen stand auch das «Braune Haus», die Zentrale der Nationalsozialistischen Partei in der Briennerstraße. Aber nicht nur Bomben fielen vom Himmel. Die britische Regierung hatte sich noch etwas anderes einfallen lassen: Von Flugzeugen abgeworfen wurden auch gefälschte Lebensmittelkarten in großen Mengen, die von den echten nur schwer zu unterscheiden waren. «Nicht aus Freundlichkeit», so meinte die Stadtverwaltung, habe der Feind so gehandelt, «sondern um unsere Ernährungswirtschaft in Unordnung zu bringen». Die Benutzung der Karten werde mit Anwendung der ganzen Strenge des Gesetzes geahndet.

Aus dem Tagebuch von **Helene Marschler**
10.3.43
Ludwigshöhe-Solln blieben diesmal verschont. Es scheint mehr das Zentrum erwischt zu haben, z. B. die Universität. Ganz schlimm schaut Nymphenburg aus, die Manufaktur ist kaputt. Viele Teile Münchens sollen in Flammen stehen, alle Feuer-

26 *Nach einem Bombenangriff am 9./10. März 1943 brannte die Salinen-Verwaltung in der Ludwigstraße. Rechts hinten ist die Universität zu sehen.*

wehren der Umgebung sind zusammengezogen worden. Züge verkehren noch keine. Das Leuchtenberg-Palais ist zerstört, die Staatsbibliothek größtenteils ausgebrannt. Der Dom ist fast abgedeckt – alle Fenster sind kaputt. In der Löwengrube hat eine Sprengbombe einen ganzen Häuserblock wegradiert. Viele Tote.

13.3.1943
Unsere Soldaten haben Charkow zurückerobert. Beim letzten Luftangriff auf München wurden mehr oder weniger schwer getroffen: der Hauptbahnhof, die Akademie, die Pinakothek, das Braune Haus, die Staatsgalerie, die Glyptothek. Es sind fast ausschließlich Brandbomben geworfen worden. Unangenehm ist eine fast völlige Gassperre, die monatelang dauern soll, da drei Gasanstalten getroffen worden sind. Es ist jetzt fast jede Nacht Alarm, da wir auch immer in den Keller müssen, wenn Nürnberg, Augsburg oder Stuttgart angegriffen werden oder Störflugzeuge in die Nähe kommen.

16.3.1943
Besuch bei Christa in der Diakonissen-Anstalt. Die Arme hat schlimme Stunden hinter sich, da der Angriff gerade stattfand, als schon ihre Wehen begannen. Da bei Angriffen immer zahlreiche Kinder verfrüht ankommen, sind die Schwestern an solchen Tagen überbeschäftigt. Das Essen aus der Gulaschkanone ist lauwarm und unerfreulich.

8.4.1943
Manchmal hört man gegen Abend ein entferntes Brummen und Grollen wie Donner oder das Anlaufen eines Motors. Es soll sich dabei um die Erprobung einer neuen Raketenwaffe handeln.

20.4.1943
Diese Nacht gab es zweimal hintereinander Alarm. Es sind helle, wolkenlose Mondnächte. Wenn die Sirene heult, beginnt ein unglaublicher Betrieb in der Klinik. Alle Kranken in der Diakonissen-Anstalt – etwa dreihundert – müssen hinuntergeschafft werden. Einige müssen mit Rollbahren zum Lift ge-

27 *So sah es damals aus: Rechts das zerstörte ‹Braune Haus›, Brienner Straße, seit 1931 Sitz der Reichsleitung der NSDAP, sowie Blick zum Königsplatz.*

bracht werden. Nur ein sehr kleiner Teil der Patienten kann selbständig in den Keller. Der Anblick dort unten ist unbeschreiblich – fast wie ein Flüchtlingslager. Die Kranken sind auf Stühle, Matratzen und Feldbetten gelegt worden. Sie jammern und stöhnen. Die Schwestern leisten Übermenschliches, jeder einzelnen läuft das Wasser von der Stirn. Kaum sind die Kranken wieder oben, geht der Alarm von neuem los.

4.7.1943

Die einzelnen Fremdengebiete werden aufgeteilt auf bestimmte Gaue oder Städte, um die Bombenflüchtlinge unterzubringen. So dürfen in Tegernsee nur Leute aus München, Stuttgart, Nürnberg und Westfalen-Süd in den Hotels und Pensionen wohnen; in der Linzer Gegend nur Flüchtlinge aus Düsseldorf. Immer mehr Berichte mit grausigen Einzelheiten bekommt man aus dem Rheinland zu hören: Müllers hatten ihre brennenden Kinder in die Wupper geworfen. Wer von Phosphor getroffen würde, verbrenne zu einem kleinen Rest, hieß es, die Toten würden einfach in Badewannen geworfen, da überall die Särge fehlten. Auf einem Kölner Friedhof seien mehrere tausend Leichen, größtenteils bis zur Unkenntlichkeit verstümmelt, gesammelt worden.

42

Notgemeinschaft deutscher
Bombengeschädigter

MÜNCHEN,

August 1943.

Tgb.-Nr.

FAHRT INS BLAUE - IST FAHRT IN DEN TOD !

Lieber Volksgenosse!

Über 600 000 Bombengeschädigte sind in den letzten 8 Wochen aus ihren zertrümmerten Heimatstädten in die Aufnahmegebiete des Ostens verschickt worden.

Täglich rollen neue Züge mit Flüchtlingen aus den Luftnotgebieten nach dem Osten, weil angeblich in der Heimat für sie kein Platz vorhanden ist.

Aus den Luftschutzkellern werden die Bombengeschädigten wie Vieh in Güterwagen gepfercht und, ohne ihr Reiseziel zu kennen, nach Polen und Ruthenien verfrachtet. Dort sind für ihre Unterbringung und Wohlfahrt nur die allernotdürftigsten Vorkehrungen getroffen, oft gar keine, sodass die Obdachlosen, wenn sie an ihrem Bestimmungsort ankommen, vielfach im Freien übernachten müssen.

Flecktyphus, Ruhr, Augentrachome und andere Seuchen warten auf sie und breiten sich rapide unter den Neuankömmlingen aus, die durch die Bombennächte und die anschliessende, oft bis 140 Stunden dauernde Gewaltfahrt in den Osten geschwächt und völlig widerstandslos geworden sind. Seuchenbekämpfung ist aussichtslos. Auf 40 000 Einwohner der Ostgebiete kommt e i n Arzt. Abortanlagen, Desinfektions- und Reinigungsmöglichkeiten fehlen meistens vollkommen.

W a r u m   i s t   f ü r   B o m b e n f l ü c h t l i n g e   k e i n

P l a t z   i n   d e r   H e i m a t ?

In München, Potsdam, Berchtesgaden, Schönau, Salzburg, Scheffau, Tegernsee und vielen anderen Orten Deutschlands, in denen die Parteifürsten ihren Hofstaat halten, wäre Platz genug.

Aber diese Orte sind zu Brennpunkten des Wohnungsbedarfs erklärt worden und für Bombenflüchtlinge gesperrt, damit die Bonzen nicht durch den Anblick der obdachlosen Elendskolonnen aus den Luftnotgebieten in ihrer Ruhe und Behaglichkeit gestört werden.

S o l a n g e   d i e s e   S c h o n g e b i e t e   f ü r   s a t t -

g e f r e s s e n e   H o h e i t s t r ä g e r   l e e r s t e h e n ,

d a r f   s i c h   k e i n   o b d a c h s u c h e n d e r   V o l k s -

g e n o s s e   i n   d e n   O s t e n   a b s c h i e b e n

l a s s e n !

Wer in den Ostgebieten nicht den Seuchen zum Opfer fällt, der ist den Nachstellungen der polnischen Bevölkerung ausgesetzt, die durch den

25.8.1943

Kiefersfelden ist das reinste Kinderdorf geworden. Im großen Gasthof Baumayer-Wirt sind etwa zweihundert Jungen aus Westfalen untergebracht worden. Die anderen Mütter und Kinder sind überall bei den Bauern verteilt worden. Ich ließ Ilse und Traudel in der Kiefersfeldener Schule einschreiben. Der Kinderandrang ist ungeheuer. Die Schule ist für etwa dreihundert Kinder eingerichtet, voriges Jahr waren es schon vierhundert – nun etwa fünfhundertfünfzig.

Eine junge Lehrerin von höchstens neunzehn oder zwanzig Jahren hat z. B. die zweite und dritte Klasse zu unterrichten. Jede Klasse hat etwa siebzig Kinder.

7.9.1943

Großangriff auf München.

14.9.1943

Am 6.9. um zwölf Uhr – wir waren noch nicht eingeschlafen. Alarm. Nach zehn Minuten heftiges Schießen. Ständig war lautes Flugzeuggeräusch über uns, dazu böllerte die Flak unaufhörlich. Zweimal hörten wir das helle Surren und die darauffolgende Detonation der Sprengbomben. Beim zweitenmal riß der Luftdruck Tür und Türstock des Luftschutzkellers mit Gepolter heraus und eine Welle Staub kam herein. Wir hatten aber alle nasse Tücher vor dem Gesicht und die Gasmasken griffbereit. Dann kam ein leises Abflauen, und wir trauten uns hinauf. Oben war alles voller Schutt und Scherben, zu unserem Schrecken aber draußen taghell. Die Flammen waren haushoch, und es brannte an allen Enden gleichzeitig. Wir fingen gleich an zu löschen mit Schlauch, zwei Kübelpumpen und, nachdem von allen Seiten Hilfe gekommen war, waren wir etwa zwanzig Leute mit Eimerketten. Die große Gefahr war bei der katastrophalen Trockenheit ein Waldbrand. Von vier Uhr früh an war die Gefahr ziemlich gebannt. Am Abend des 7. glaubten wir mit dem Löschen aufhören zu können. Eine Stunde später stand alles wieder in Flammen. Also mußten der Hausmeister und ich nochmals bis 12 Uhr löschen. Vierzig Stunden ohne Schlaf und bei teilweise schwerer Arbeit. Es ist mir nicht einmal schwer gefallen, so stark war die innere Spannung und Erregung. Übrigens glühen die Eichenbalken trotz allen Bemühens selbst heute – nach sieben Tagen – noch an manchen Stellen. Wir hatten allein in unserem Garten sechs Phosphorkanister, eine ganze Anzahl großer und kleiner Stabbrandbomben,

Flugzettel. Sogar explosives Kinderspielzeug lag drüben beim Bahngleis.

Eine schwere Luftmine ist unterhalb der Großhesseloher Brücke bei der Siedlung niedergegangen. Natürlich waren Gas, Licht, Telefon, Bahn und Tram lange unterbrochen. Gas und Tram sind es heute noch.

Wenn man durch die Ludwigshöhe fährt, kommt man durch eine Wüste. Sowohl Thalkirchen wie das Sendlinger Oberfeld sind nahezu ausgelöscht, alle Industrie im Süden der Stadt ist getroffen worden. Ferner sind weg: das große Linde-Kühlhaus am Isartalbahnhof mit vierzigtausend Zentner Butter, die Großmarkthalle, die Deutsche Eiche, der Thalkirchener Bahnhof und die große Klinik daneben, das Berchmanns-Kolleg bei Pullach, eine Unzahl Häuser in Harlaching und Giesing. Die Isarwerke sind schwerstens beschädigt, ebenso die Städtischen Werke beim Isartalbahnhof.

Fast zufällig stieß ich in Solln auch auf einen abgeschossenen viermotorigen Bomber. Ich war tief erschüttert. Der eine tote Pilot lag noch im Flugzeug eingeklemmt, drei andere lagen in einiger Entfernung von der Maschine herausgeschleudert, der fünfte hatte sich mit dem Fallschirm gerettet, und saß auf einem Dach. Dort wurde er später gefangengenommen.

2.10.1943

Um 11 Uhr Alarm. Gleich starkes Flakschießen. Dann Pause, so daß wir eben mit einem Angriff auf Augsburg rechnen. Dann geht das Krachen los und die Wände zittern. Um 1 Uhr ist das Schlimmste vorbei. Nach der Entwarnung stand über München heller Feuerschein. Wir meldeten uns an der Sammelstelle Solln zur Hilfeleistung, wurden aber nicht gebraucht. Am nächsten Tag ergab sich, daß diesmal Harlaching und Giesing dran gewesen waren. Natürlich sind wieder Gas und Strom, Tram und Isartalbahn ausgefallen. Die Fahrt mit dem Rad geht über scherbenübersäte Straßen über Sendling, die Bayerstraße zum Bahnhof. Dort Sturm der Obdachlosen auf vereinzelte Lastwagen-Mitfahrgelegenheiten. Das Hoftheater ist zerstört. Die Residenz hat einen Volltreffer erhalten. Der Verkehr in der Stadt ist unbeschreiblich, obwohl keine Tram fährt. Teils sind es Neugierige, teils Kolonnen von Hilfsmannschaften, Feuerwehr, Verpflegungswagen, Sprengkommandos. Dazwischen immer wieder Wagen, auf denen Obdachlose mit ihrer spärlichen geretteten Habe aus der Stadt hinausgeschafft wer-

44

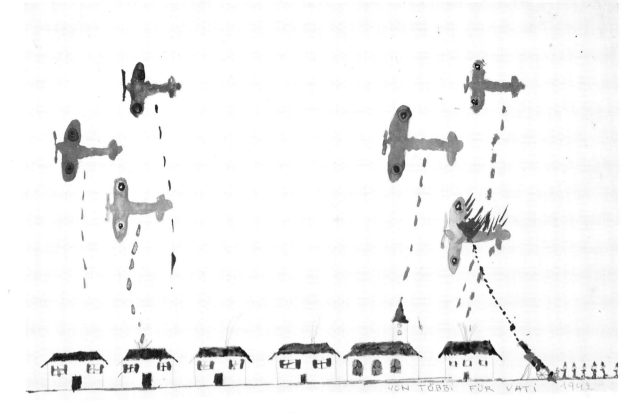

VON TÖBBI FÜR VATI 1942

28 *Mit Kinderaugen gesehen. Von Kinderhand gezeichnet.*

29 *Nach einem Luftangriff am 9. Oktober 1943 auf das BMW-Werk wurde ein Teil einer Halle zerstört – einen anderen Teil der Halle konnte die Feuerwehr retten.*

den und die zahlreichen Wagen des Roten Kreuzes mit Verwundeten. An vielen Stellen ist militärisch abgesperrt, oder es wird noch gelöscht. Die Heimfahrt durch immer neue Trümmerstätten am Sendlinger Tor und in der Thalkirchener Straße war grausig und erschütternd.

4. 10. 1943

Vernageln der Fenster mit Kartons, Schadensmeldungen bei der Partei, Besuche bei verschiedenen Behörden und Handwerkern. Reparatur kleiner Dachschäden und kaputter Rolladen – letzteres sehr wichtig wegen der Verdunkelung. Das Verdunkelungspapier zerreißt bald bei jedem Angriff. Das Gas geht wieder, Strom noch nicht, die Bahn fährt bis Thalkirchen.

24. 11. 1943

Besetzung von Samos. Erneut schwerer Angriff auf München. In beiden Nächten sollen je tausend Flugzeuge angegriffen haben. Bis jetzt ist es uns nicht gelungen, irgendwelche Nachrichten zu bekommen, wer von unseren Verwandten und Bekannten betroffen wurde. Telefongespräche gehen nicht durch. Ich muß nach den Eltern schauen.

26. 11. 1943

Zurück nach Kufstein. Mittags Alarm. Eine Anzahl amerikanischer Flugzeuge überfliegt unser Haus. Angelika ist schon längere Zeit im Krankenhaus Kufstein. Beim Ausbruch des Scharlachs gab es erhebliche Schwierigkeiten, da im Falle eines Bekanntwerdens der Gasthof hätte geschlossen werden müssen. Bei starken Menschenansammlungen sind die Seuchen-Vorschriften besonders streng. Nun lebe ich dauernd in Sorge vor Angriffen auf Kufstein, da Angelika auf der Isolierstation ist und nicht in den Keller darf ...

29. 11. 1943

Am Vormittag flog ein englischer Jäger ganz tief und ungestört über unser Haus am Hechtsee, so daß ich die Kokarde sehen konnte. Diese einzelnen Aufklärer sind oft die Vorboten von Bombern.

Inzwischen standen fast alle wehrfähigen Männer, die nicht unbedingt in der Heimat gebraucht wurden, an der Front.

Die Zeit der deutschen Siege war vorbei. Die Alliierten begannen ihren Vormarsch. Im Osten war Stalingrad gefallen, Anfang Mai brach die deutsch-italienische Front in Tunesien zusammen. Am 10. Juli landeten die Alliierten auf Sizilien, Hitlers Kampfgefährte, der italienische Duce, Benito

Mussolini, trat zurück und wurde verhaftet. Während den deutschen Soldaten an allen Kriegsabschnitten das Letzte abverlangt wurde, wütete die SS in den Konzentrationslagern gegen Juden, Zigeuner, Ausländer und deutsche Nazi-Gegner. Schon 1941 hatten von den Nationalsozialisten – nicht der deutschen Wehrmacht – zusammengestellte «Einsatztruppen» in der Sowjetunion über eine Million Juden durch Massenerschießungen ermordet. In Warschau hatte man 300 000 Juden in das Vernichtungslager Treblinka gebracht. Als den im Warschauer Getto verbliebenen restlichen 60 000 Juden das gleiche Schicksal drohte, kam es zum bewaffneten Widerstand. Fast alle Polen verloren in heftigen Straßenkämpfen ihr Leben, als bei einer Polizeiaktion zwischen dem 19. April und dem 16. Mai 1943 das Getto gewaltsam geräumt wurde.

In München lebten 1933 laut Einwohnerstatistik 10 737 Juden. 3574 konnten rechtzeitig auswandern, viele wurden umgebracht. Bei Kriegsende gab es in München nur noch 84 jüdische Mitbürger. Im Frühjahr 1943 wurden Frauen vom 17. bis 50. Lebensjahr, die keine kleinen Kinder zu versorgen hatten, kriegsdienstverpflichtet. Sie arbeiteten in der Industrie und Fernmeldezentralen, im Flugmeldedienst, Luftschutzwarn- und Wetterdienst, als Stabs- und Luftwaffenhelferinnen, Kraftfahrerinnen, Marine-, Nachrichten-, Flakhelferinnen, Waffen-SS-Helferinnen, Ärztinnen, Krankenschwestern, Schwesternhelferinnen. Der bayerische Arzt und Dichter Hans Carossa hat in seinen Tagebuchaufzeichnungen aus dem Jahre 1943 den bei der Straßenbahn arbeitenden Münchnerinnen ein literarisches Denkmal gesetzt: «Seit Kriegsbeginn bestanden die Fensterscheiben der Straßenbahnwagen aus bläulichem Verdunkelungsglas, in welchem ein mäßig breiter Streifen farblos gelassen war. Dieses blaue Halblicht schien jede Glücksregung zu dämpfen. Es nahm den Anlagen draußen die Frische des Grüns, und sogar wenn lachende Menschen beisammen standen, war's, als träumte man sie nur. Eine der unvergeßlichen Kriegserscheinungen waren die Straßenbahnschaffnerinnen; sie ließen besonders gut erkennen, wie die Stadt mitten im Unheil noch immer ihr Antlitz bewahrte. Hübsche Mädchen waren darunter, viele mit gepflegtem Äußeren, und bei mancher saß die abgenutzte Dienstmütze auf künstlich gewelltem glänzendem Haar; doch sah man auch ält-

46

liche Frauen mit lederbraunen zerknitterten und vergrämten Gesichtern; andere waren zwar jung, aber müde und bleich, und das blaue Wasserkastenlicht gab ihnen ein doppelt leidendes Aussehen. Alle aber glichen sich in der Gewissenhaftigkeit, mit der sie, immer stehend, ihren schweren Dienst versahen, in der Geduld, mit der sie Groschen abzählten, den körperlich Behinderten halfen, Fremden Auskunft gaben, töricht Fragende zurechtwiesen. Wer freilich ihre Gutmütigkeit mißbrauchen und rücksichtslos gebieterisch auftreten wollte, für den hatten sie Kernworte von überraschender Schlagkraft bereit.»

Je länger der Krieg dauerte, je größer die Not, um so häufiger drückten die Nazis selbst Kindern und Jugendlichen die Waffe in die Hand.

Mit Führerbefehl vom 20. September 1942 hatte Hitler 120000 Soldaten von der Luftwaffe abgezogen und an die Ostfront geschickt. Die entstandenen Lücken füllte man durch Flakhelfer, sechzehn- und siebzehnjährige Mittel- und Oberschüler. Erziehungsminister Rust hatte angeblich dagegen protestiert. Er fürchtete, «um den geistigen Nachwuchs des Reiches», denn wer Tag und Nacht an den Geschützen verbringen mußte, brachte für den zunächst noch erteilten Schulunterricht nur noch wenig Kraft und Energie auf. Im Januar 1944 rückten dann sogar die Fünfzehnjährigen nach. Wieviele dieser Kinder im Krieg starben, ist bis heute unbekannt. In den nationalsozialistischen Heimschulen (Napola) wurden auch Zehnjährige auf Hitlers Krieg vorbereitet.

Werner Zwick berichtet darüber:

«Es war 1942 – München wurde bombardiert. Wir wohnten damals in Neuhausen. Meine Mutter hatte jedesmal, wenn die Sirene ertönte, Anfälle. Sie fing an zu zittern und konnte nichts mehr tragen und halten, so daß ich die jüngeren Geschwister in den Keller brachte. Meine Mutter blieb manchmal oben in der Wohnung, weil sie es nicht schaffte, in den Keller zu gehen.

Wenn wir Kinder am nächsten Morgen in die Schule gehen mußten, war das nicht so einfach. Wir sahen die Bombergeschwader ständig über unsere Schule fliegen. Es war in Neubeuern am Inn, in der Nähe von Rosenheim. Jedesmal, wenn die Flugzeuge kamen, wurde bei uns sofort die Hakenkreuzflagge vom Turm geholt, damit die Schule nicht bombardiert wurde.

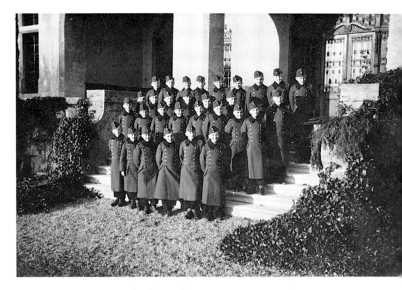

30 *Werner Zwick wurde als 10jähriger in einer nationalsozialistischen Heimschule erzogen (NAPOLA abgekürzt). Auch die Kinder bekamen Uniformen.*

Das schrecklichste Erlebnis für mich war ein Luftangriff – ungefähr 1944. Ich war gerade auf dem Weg in die großen Ferien und kam in München an, als auch schon die Bomben fielen. Alle Leute, die in dem Zug waren, sind sofort vom Hauptbahnhof weggerannt und haben Schutz unter Brücken und in Häusern gesucht. Ich stand unter einer Unterführung und sah die Phosphorbomben fallen. Die Leute verbrannten und schrumpften in sich zusammen.

Zur Napola wurde man nicht eingezogen wie zum Militär, sondern man kam mit zehn Jahren statt auf ein humanistisches Gymnasium nach einer entsprechenden Mutprüfung auf diese Schule. Das sollte ursprünglich so sein, einheitlich für die Adolf-Hitler-Schulen und die Napolas, daß die Kinder von einem dreistöckigen Haus auf ein Sprungtuch springen sollten. Es gab damals bei uns kein Sprungtuch, es gab auch kein dreistöckiges Haus. Diese Mutprüfung fand dann in der Kasperlmühle im Mangfalltal statt. Da gab es einen Felsen, von dem wir heruntergsprungen mußten. Dann hantelten wir uns an einem Seil über die Mangfall. Das war die Mutprobe.

Ich war inzwischen zwölf Jahre geworden. Wir wurden auch noch eingesetzt, um abgesprungene Piloten bzw. abgeschossene Piloten, die sich mit dem Fallschirm retten konnten, zu orten und den zustän-

digen Behörden zu übergeben. In einem Fall hat ein Klassenkamerad einen Piloten mit einer Pfeife, die er sich von einem Bauern geliehen hat, und die er wie eine Pistole hielt, aufgefordert, die Hände zu erheben. Der Pilot hat die Hände erhoben. Dafür wurde der Junge dann mit einem Kriegsverdienstkreuz ausgezeichnet.»

Über die Casablanca Konferenz, auf der sich im Januar 1943 Roosevelt und Churchill auf einen verstärkten Luftkrieg geeinigt hatten, erfuhren die Münchner nur wenig. Von nun an galt für Deutschland das «round the clock bombing», das Angegriffenwerden rund um die Uhr. Wie bisher kamen die Engländer vorwiegend nachts, die Amerikaner meldeten sich nun tagsüber. München allerdings blieb weitgehend Zielgebiet der Briten, nur im April und zwischen dem 11. und 13. Juli 1944 erschien die United States Army Air Force mit ihren «fliegenden Festungen» im Großraum der «Hauptstadt der Bewegung».

Bei Aufbietung aller Kräfte gelang es der deutschen Flugzeugindustrie noch einmal, die Produktionsziffern hochschnellen zu lassen. Statt bisher 300, verließen nun monatlich etwa tausend fertige Maschinen die Werkshallen. Bemerkbar aber machte sich jetzt der Mangel an gut ausgebildeten Piloten. Zu viele waren bereits abgestürzt und abgeschossen.

Der Luftkrieg verschärfte sich nicht nur durch die hinzugekommenen Amerikaner, sondern auch durch neue Techniken des Gegners. Bei einem Angriff auf Hamburg wurde erstmals das sogenannte Düppelverfahren angewandt. Zehn bis zwanzig Maschinen flogen dem Bombenpulk voraus und warfen große Mengen von Stanniolstreifen ab. Sie erweckten dadurch auf den deutschen Radarschirmen den Eindruck, daß sich starke Bomberverbände im Anflug befänden. Die Jäger-Leitoffiziere der deutschen Luftwaffe standen damit vor der Frage, welches die richtigen oder die nur simulierten Angriffe waren. Diese Irreführung konnte noch dadurch vermehrt werden, daß die mit der Täuschung beauftragten Flugzeuge aus verschiedenen Richtungen kamen.

Außerdem war es gelungen, das Höchstgewicht der Sprengbomben auf 5440 kg zu steigern und die Brandbomben mit gefährlichen Flüssigkeiten anzureichern. Die Menschen verbrannten und schrumpften, verdorrten geradezu durch die äu-

ßerst starke Hitzeentwicklung oder erstickten in den sich entwickelnden Feuerstürmen.

Dies kannten die Münchner bisher jedoch nur vom Hörensagen, als am 4. Juli 1944 der Führer der Deutschen Arbeitsfront, Robert Ley, an der Feldherrnhalle sprach. Er gedachte der Opfer der großen Bombardements im Norden und im Westen: «Die Frauen und Männer hier in München, auf diesem Heldenplatz, sie grüßen euch, sie bewundern euch und sie danken für euer Aushalten. Und sie geloben, daß sie euch es gleichtun werden, wenn sie in die Lage kommen sollten. Das werden sie, sie werden genauso tapfer sein wie die Frauen und Männer in Köln, Düsseldorf, Essen, Bochum, Dortmund, Elberfeld, Barmen und überall. Das werden sie. Aber heute, das lehrt uns dieses harte Schicksal, Rache, hassen, Rache, hassen, Rache für Köln, Rache für Bochum, Rache für Essen, Rache für den gesamten Westen. London und England muß es heimzahlen, Aug um Auge, Zahn um Zahn. Das ist es.»

Die nationalsozialistische Führung entrüstete sich, als die Alliierten noch im gleichen Monat Rom bombardierten. Da wurde wieder wichtig, was der Papst sagte. In den Münchner Zeitungen wurde er zitiert: «Denkt an das strenge Urteil, das die künftigen Generationen über diejenigen fällen werden, die alles das zerstört haben, was eifersüchtig behütet und bewahrt werden mußte, weil es den Reichtum und den Glanz der ganzen Menschheit und des Fortschritts der Völker bildete.»

Noch zwei Tage vor dem zweiten großen Luftangriff dieses Jahres mußte die Münchner SA den Sonntag dazu benutzen, um im Großeinsatz vorhandene Splittergräben auszubauen, neue auszuheben und Luftschutzkeller besser zu befestigen. Gauleiter Giesler leitete die Arbeiten, über die er sich anschließend zufrieden äußerte.

In der Nacht vom 6. auf den 7. September 1943 heulten um Mitternacht erneut die Sirenen. Großalarm. Nach den Aufzeichnungen der Stadtverwaltung fielen 73 Minen, 269 Spreng-, 6000 Phosphor- und etwa 180 000 Stabbrandbomben auf die Stadt. Anschließend zählte man 204 Tote, 778 Verletzte, 17 597 Obdachlose. Wieder wurden auch gefälschte Lebensmittelkarten abgeworfen. Diesmal wurden die Versorgungsbetriebe der Stadt schwer getroffen. Zerstört wurden auch der Schlacht- und Viehhof, aber auch das Kühlhaus Linde, wo bereits Versuche für die deutsche Atom-

31 *Helene Marschler steht an einem Splittergraben in München*

32 *«Ein starker Abwehr- und Selbstbehauptungswille ist entflammt»: NSDAP-Gauleiter Giesler nach der Bombennacht zum 20. September 1942. «Was sich vor acht Tagen in München abspielte, war wie ein Vorspiel des Weltgerichts ...»: Kardinal Faulhaber beim Requiem für die Bombenopfer.*

forschung – Hitlers Wunderwaffe – gemacht wurden. Weil nicht genug Helfer für die Bergungs- und Aufräumungsarbeiten in der Stadt zur Verfügung standen, mußten Eisenbahner, Postboten und Straßenbahnschaffner herangezogen werden. An ihre Stelle traten vorübergehend alle Hitlerjungen der Oberschulklassen vier bis acht, die sich in Uniform oder Arbeitskleidung zum Einsatz bei Reichsbahn, Post und Straßenbahn einzufinden hatten. Drei Tage nach dem Angriff fand die Trauerfeier auf dem Nordfriedhof statt. Gauleiter Giesler hielt die Ansprache. Die Presse erwähnte zwar die Zahl der aufgepflanzten Fahnen, nicht aber die der Särge. «Volk ans Gewehr» spielte die Kapelle zum Abschluß.

Der bisher schwerste Angriff traf die Stadt in der Nacht vom zweiten auf den dritten Oktober 1943. Das Nationaltheater und der Saalbau der Residenz wurden zu traurigen Ruinen. Kein Gebäude in der Ludwigstraße blieb unbeschädigt. «Ein neues Mal ist der Gluthauch wilder Verwüstung über unsere Stadt hinweggezogen» sinnierte der Zeitungsberichterstatter. Die Presse zeigte nur zwei Photos: den zerstörten Zuschauerraum der Oper und einen abgeschossenen britischen Bomber. «Volk ans Gewehr» hieß es wiederum bei der «Abschiedsfeier für die Gefallenen». Was tröstete es die Hinterbliebenen, daß angeblich täglich hundert junge Amerikaner bei den Angriffen auf Deutschland auch ihr Leben verloren. Daß das Zusammenspiel von Jagdabwehr und Flak bei weitem nicht so klappte, wie es die nationalsozialistische Propaganda hinstellte, merkten die Münchner von selbst. Sie wunderten sich auch nicht mehr darüber, daß es in den Schuhläden nur noch Einheitsmodelle gab. Statt bisher etwa vierhundert, durften jetzt in den Schuhfabriken nur noch höchstens dreißig verschiedene Schuharten hergestellt werden. Nur Optimisten glaubten an die Meldungen, daß es bald genügend Behelfsheime für die Fliegergeschädigten geben werde. «Jeder kann bauen» hieß es zwar offiziell, eine Bauerlaubnis erhielt aber nur derjenige, der glaubhaft nachweisen konnte, «daß er die Baustoffe hat oder sich irgendwie beschaffen kann». Wer aber konnte das schon in dieser Zeit des allgemeinen Mangels? Wer offen Zweifel am immer wieder beschworenen Endsieg äußerte, mußte mit Verhaftung und KZ rechnen. Zu drei Monaten Haft wurde eine Frau verurteilt, die einen «unangebrachten» Feldpostbrief an die Front schickte. Für «ihre mehr oder weniger übertriebenen Schilderungen über Vorkommnisse und Schäden in einzelnen Stadtteilen» wanderte sie ins Gefängnis.

Am 9. November sprach Hitler wieder im Bürgerbräukeller. Er verhieß nichts Gutes: «Es mag dieser Krieg dauern, so lange er will, niemals wird Deutschland kapitulieren … Derjenige, der die Waffen als Allerletzter niederlegt, das wird Deutschland sein, und zwar fünf Minuten nach zwölf!»

Ähnlich äußerte sich Hermann Göring zwei Tage später bei einer Tagung der Reichsleiter, Gauleiter und Verbändeführer der NSDAP.

In den Weihnachtstagen machten sich viele Münchner nach Tölz und Wiessee auf. Sie besuchten ihre dorthin evakuierten Kinder.

«Ganz im Sinne des Gauleiters Giesler haben Partei und Staat alles getan, um den Kindern, die in Lagern untergebracht sind, auch fern von ihren Eltern ein schönes Weihnachten zu bereiten.» So las man es in den Zeitungen. Und was erzählten sich die Münchner, wenn sie unter sich waren? «Die Engländer setzen die Christbäume, die Flak liefert die Kugeln, Goebbels erzählt uns Märchen und wir sitzen im Keller und warten auf die Bescherung.» Der offizielle Rückblick auf der Schwelle des alten zum neuen Jahr fiel diesmal trübe aus. Dem amerikanischen und bolschewistischen «Maschinenmenschen» stellte man die abendländisch geprägte Persönlichkeit gegenüber. Nur zwei Wege, so der Kommentator der «Münchner Neuesten Nachrichten», führen aus diesem Krieg heraus: Der eine mündet in der Nacht, der andere weist zum Ziel einer freien Zukunft.

Helga Warnke *über die Kinderlandverschickung:*
«Ich war bei Kriegsbeginn acht Jahre, habe mit meinen Eltern am Steubenplatz in Neuhausen gewohnt und ging in die Winthir-Schule am Winthirplatz. Dort mußten wir bald hinaus, weil das Gebäude für Einberufungen von Soldaten gebraucht wurde. Ich ging dann in die Hirschberg-Schule.
Für uns Kinder waren die Nachtangriffe kein schreckliches Ereignis, denn wir hatten am nächsten Tag schulfrei. Auf dem Flachdach des Nebenhauses stand die Flak. Wir fanden das spannend – bekamen aber zu Hause Ärger, wenn wir auf das Flachdach wollten. Als die Tagesangriffe begannen, durften wir nie weit weg von zu

33 *«Nach den Angriffen sammelten wir mit Begeisterung Bombensplitter»: Helga Warnke mit ihrem Bruder.*

Hause. Nach den Angriffen sammelten wir mit Begeisterung Splitter (Bombensplitter), die wir in der Schule miteinander tauschten, heimlich tauschten, denn keiner der Erwachsenen durfte das wissen.
1943 kam ich von München nach Bad Wiessee ins Kinderlandverschickungslager. Dort sahen wir nur von weitem die Flugzeuge. Im Mai 1944 kam ich wieder nach München zurück. Mein Vater arbeitete bei den Metzler-Werken. Er radelte nach den Angriffen immer nach Hause zu den Großeltern. Wir hatten nämlich keine telefonische Verbindung miteinander.
Am 12. Juli 1944 kam mein Vater auch wieder angeradelt, um zu sehen, ob alles in Ordnung sei. Ge-

50

rade, als wir dachten, der Angriff sei vorüber, hörten wir vom Nachbarhaus die Flak schießen. Dann erfolgte ein fürchterliches Krachen – und wir waren total in Staub gehüllt.

Meine Mutter klatschte uns nasse Tücher ins Gesicht. Aber wir konnten nichts sehen. Wir drei Kinder hatten Angst und schrien. Die Eisentüren gingen nicht mehr auf. Wir versuchten zum Nebenhaus durchzusteigen. Unser Haus war von einer Sprengbombe getroffen worden – und unsere Wohnung im zweiten Stock stand nicht mehr. Nach dem Angriff liefen wir nach Planegg zu einer Tante. Nach vierzehn Tagen zogen wir nach Bad Tölz. Dort waren alle Hotels und Pensionen für Ausgebombte aus München beschlagnahmt worden. Hier bekamen wir Wohnraum zugewiesen. Das Problem war, daß ich aus der Oberschule kam und Bad Tölz damals keine hatte, nur die KLV-Lager. So wurde ich dort eine Zeit lang Gastschülerin.

Rolf Bletschacher berichtet über seine Feuerwache und den Sanitätsdienst:
«1943 wurden wir sechzehnjährigen Schüler als Freiwillige für die Brandwache im Max-Gymnasium eingesetzt. Die Schule lag in der Morawitzkystraße – der Unterricht lief weiter.

34 Rolf Bletschacher als sechszehnjähriger Schüler – er hielt Brandwache im Max-Gymnasium

Meine Eltern und ich wohnten in der Ohmstraße. Der öffentliche Luftschutzkeller war in der Leopoldstraße 2. In den konnten wir nur gehen, wenn der Voralarm frühzeitig kam.

Wir wurden an der Feuerpatsche ‹ausgebildet›, die man in einen Wassereimer tauchen mußte (das waren Stiele mit einem Lumpen umhüllt). Damit sollten Brandbomben gelöscht werden. Ansonsten gab es in dem Schulgebäude zehn Minimax-Feuerlöscher. Wir schliefen in der Schule. Im Keller waren Bereitschaftsräume für je vier Schüler. Mädchen mußten nicht mitlöschen. Jeder von uns Jungen mußte einmal im Monat nachts Brandwache halten. Unsere Schule wurde auch bombardiert.

Als ich siebzehn Jahre war, wurde der Großteil der Klasse gemustert und eingezogen. Einige kamen zur Heimatflak. Ich bekam einen Wehrpaß als Mediziner. Ich sollte Sanitätsoffizier werden. Außerdem sollte ich mein Abitur machen. Das hat mich vor dem Einziehen in die Wehrmacht geschützt. Ich machte eine paramilitärische Ausbildung als Sanitätsgehilfe in der Lindwurmstraße mit. Da war ein Zelt aufgeschlagen. Ich lernte dort Verbände anlegen, das Schienen von Brüchen, Brandblasen und Verletzungen durch Phosphor zu behandeln. Dr. Praun war dort der leitende Arzt.

Im Juli 1944 waren drei schwere Angriffe auf München – wobei der Norden besonders stark betroffen wurde. Auch wir sind dabei ausgebombt worden. Im Mai und Juni 1944 wurde auch der Süden Münchens mit Brand- und Phosphorbomben angegriffen. Getroffen wurden der Südbahnhof, die Großmarkthalle und ein riesiges Kühlhaus, Lagerhallen, die Impler- und Lindwurmstraße. Es gab sehr viele Verletzte und Tote. Von der Ohmstraße ging ich zu Fuß zum Einsatzort in der Lindwurmstraße. Hunderte von Sanitätern, Soldaten, Privatleuten und Ärzten halfen. Die Verschütteten holten wir aus den Kellern heraus. Phosphorverletzungen wurden mit Silberpapier bedeckt, damit kein Sauerstoff an die Wunde kam. Ein ungeheurer Gestank von Wunden und verbrannten Lebensmitteln umgab uns. Es waren Lebensmittellager mit Tausenden von Tonnen Butter und Eiern verbrannt. Ich mußte mich öfter übergeben. Die Ärzte arbeiteten nach schweren Angriffen zehn bis zwölf Stunden hintereinander.

Eine Woche vor den schweren Juli-Angriffen gab es Flugzeugangriffe, bei denen sogenannte Christbäume abgeworfen wurden. Man fotografierte exakt die gesamte Gegend von Freimann bis ungefähr zur Schellingstraße. Und am 12./13./14. Juli wurde dieses Gebiet mit Brandbomben bombardiert. Am letzten Tag dieser Bombardierungswelle war dann der Münchner Norden ausgelöscht. Fast jedes zweite Haus war zerstört worden. Die Innenstadt dagegen war nie so systematisch bombardiert worden wie Schwabing.

Am 13. Juli gab es Tagesangriffe. Unser Haus existierte nicht mehr, es war bis zum Keller ausgebrannt. Vater war im Krieg. Meine Mutter war wegen ihrer englischen und französischen Sprachkenntnisse kriegsdienstverpflichtet worden und arbeitete bei der amtlichen Briefprüfstelle. Dort wurden englische und französische Briefe geöffnet und zensiert. Wir trafen uns bei der Tante in der Dachauer Straße.

Am nächsten Morgen suchte ich in den Trümmern nach meiner Briefmarkensammlung. Ich wühlte in der Asche. Kurz danach bekam ich Blasen an den Händen und Füßen, die immer größer und schmerzender wurden. Mit diesen Phosphorverletzungen kam ich Ende Juli ins Lazarett. Nach meiner Entlassung aus dem Lazarett ging ich weiter zur Schule. Ich wurde nach Garmisch-Partenkirchen in ein KLV-Lager geschickt. April 1945 machte ich das Notabitur.

Zuvor kam ich noch für sechs Wochen in ein militärisches Ausbildungslager nach Podiebrad – ungefähr achtzig Kilometer von Prag. Es war eine Ausbildung zum Kinderlager-Mannschaftsführer. Wir sollten die Jungen in Wehrertüchtigung, Boxen und Schießen in der Freizeit unterrichten.

November 1944 war ich dann in Garmisch-Partenkirchen. Am 30.4.1945 zogen die Amerikaner in Garmisch ein.»

Lutz Heck, geboren am 26.12.1924 im Zoo Berlin, ist der einzige Augenzeuge, der über die Bombardierungen des Tierparks Hellabrunn und des Zoo in Berlin berichten kann:

«Mein Vater ist von Berlin nach München gefahren, um sich dort darüber zu informieren, was bei Bombentreffern in Tierhäusern und im gesamten Tierpark zu tun sei.

Von Seiten der Regierung hatte man Vorbereitungen bezüglich der Bombardierungen von Tierparks getroffen. Es gab Luftschutzübungen in München wie in Berlin. Ein sogenannter Tierfängertrupp war mit Netzen ausgerüstet worden und hatte auch Raubtiergabeln. Das waren Holzgabeln, die oben weit aus-

einander liefen, so daß man beim Angreifen eines Raubtieres das Tier an der Kehle wegschieben konnte. Mit den Netzen wurden Affen gefangen. Die Tierfängertrupps hatten auch Gewehre. Es konnten ja durch Bombentreffer gefährliche Tiere entweichen. Die einzige Möglichkeit war dann, das Tier zu erschießen, ehe es Menschen tötete. Narkosegewehre gab es damals noch nicht.

Luftschutzkeller gab es auch. In allen Gebieten der Tierparks – München und Berlin – waren Beobachtungsstände eingebaut: Einmannbunker mit Sehschlitzen.

Die Tierparks waren an das Voralarmsystem angeschlossen. Es gab zwei Sirenen: eine für den Voralarm, bei dem man nicht genau wußte, welche Stadt bombardiert werden sollte, und eine für den Hauptalarm. Bevor der Voralarm losging, hatten die Tierparks meistens eine telefonische Vorwarnung bekommen. Deswegen waren die Telefonzellen Tag und Nacht besetzt. So konnten auch Besucher des Tierparks rechtzeitig gewarnt werden. In den späteren Jahren rechnete man sich ungefähr aus, wann Angriffe möglich sein konnten. Dann wurden eben die Tierparks nur nachmittags geöffnet, wie in Berlin. Am 7.9.1942 fielen einige Streubomben im Berliner Zoo. Sie zerstörten ein Waldrestaurant und ein Gehege. Eine Antilope wurde dabei getötet.

In München sind ungefähr einhundertfünfundzwanzig Sprengbomben gefallen. Der Tierpark lag am Stadtrand. In Berlin lag der Tierpark dicht am Bahnhof Zoo. Direkt neben dem Zoo war ein Flakturmbunker mit Flakstellung.

Obwohl in München viele Bomben in den Tierpark fielen – Spreng- und Brandbomben –, haben die großen Häuser, wie das Elefantenhaus, die Hellabrunner Affenstation und das Aquarium, den Krieg weitgehend überstanden. Der Münchner Tierpark war immer ein parkartiges Gelände; der Berliner Zoo, der um die Jahrhundertwende gebaut worden war, hatte uralte Häuser. Der Tierpark Hellabrunn in München war in den zwanziger Jahren eröffnet worden und hatte praktische Holzstallungen. Sie wurden größtenteils zerstört, konnten aber verhältnismäßig schnell wieder aufgebaut werden. In Berlin gab es die Elefantenpagode, die vor 1900 gebaut worden war. Es war ein riesiges Haus, und dort konnten die Schäden nur schwer behoben werden.

In München wurde am 21. März 1939 der Elefant

Elefant Wastl im Tierpark Hellabrunn, München, geboren, starb am 22.11.1943 nach einem Bombenangriff im Berliner Zoo.

Wastl geboren. Er brachte aus einem nie geklärten Grund seinen Pfleger auf der Freianlage um. Er war an ihm vorbei gerannt, hatte ihm den Stoßzahn in die Hüfte gerammt und dabei eine Ader getroffen. Notärzte und Schnelldienst gab es damals noch nicht. Der Wärter starb an diesem Unfall. Wenn der Elefant einmal gefährlich geworden ist, kann man ihm nicht mehr trauen. Dann gibt man ihn an eine andere, sicherere Stelle. Im Berliner Elefantenhaus waren die Absperrungen besser. Durch Schiebetüren konnten die Elefanten hinaus und herein. Wastl kam also nach Berlin. Am 22. November 1943 ist er mit anderen Elefanten durch eine Luftmine getötet worden.

Wir saßen im Bunker. Bei schweren Bombardierungen des Tierparks mußten wir trotz des Flakbeschusses hinaus und nachsehen, ob Tiere zu retten waren. Man behielt besonders die Raubtiere im Auge, damit sie ja nicht durch gesprengte Gitter herauskamen und draußen Schaden anrichteten. Bei einem Bombenangriff war auch das Raubtierhaus getroffen worden. Alle Tiere lagen tot in ihren Käfigen.

Es wird immer wieder erzählt, daß Tiere durch Luftangriffe aus den Tierparks rausgekommen seien. Das stimmt nicht. Es gibt eine Ausnahme: Ein Husarenaffe war aus dem Berliner Affenhaus entwichen und saß in einem Nachbarhaus in einem Kleiderschrank. Weder auf dem Ku-Damm in Berlin, noch in München sind Elefanten, Schlangen, Krokodile oder Affen auf der Straße herumgetanzt. Im Berliner Zoo hatten wir eine Orang-Utan-Frau, die durch ein beschädigtes Gitter rauskam. Sie rannte in ein abseits gelegenes Baugelände, wo wir einen Koksvorrat lagerten. Durch eine Brandbombe fing der Koks an zu brennen und verbreitete Wärme. Es war November 1943. Die Orang-Utan-Frau ist an dem ausströmenden giftigen Kohlendioxydgas gestorben. Es gab einen Volltreffer ins Aquarium. Die Krokodile und Giftschlangen waren auf der Stelle tot. Das einzige gefährliche und bösartige Tier war ein Rothirsch. Hirsche werden oft mit der Flasche groß gezogen. Sie haben keine Angst vor den Menschen. Wenn sie wütend werden oder ihre Brunftzeit haben, greifen sie ihre Pfleger an. Im Berliner Zoo war es so, ein Rothirsch kam aus seinem zerstörten Gehege raus und griff seinen Pfleger an. Das Tier mußte ich erschießen.

Heute noch lebt in unserem Aquarium im Tierpark Hellabrunn ein Knochenhecht, der seit 1938 – seit dem Bau des Aquariums – hier lebt. Schon damals war er ungefähr acht Jahre.

Als 1943 im Berliner Zoo das Affenhaus stark beschädigt worden war, und es für einige Menschenaffen keinen Platz mehr gab, hat Professor Grzimek drei Schimpansen zu sich in Pension genommen. Er wohnte in einem Vorort Berlins und hatte in seinem Haus unten Käfige eingebaut.

Außerdem versuchten wir, Tiere zu evakuieren. Es gab kleinere Tierparks, wie z. B. Saarbrücken, dorthin gaben wir unsere Papageien. In der Mark Brandenburg waren Wildgehege, da kamen unsere Wisente, Wildpferde und Auerochsen hin. Bei Tieren, die wir nicht wegbringen konnten, zogen wir vor den Käfigen Backsteinmauern hoch. Einige Tiere haben die Bombardierungen schlecht überstanden. Manche nahmen sie wie starke Gewitter hin.

Nach jedem Angriff rannten wir alle, trotz der herumfliegenden Splitter, um zu sehen, was passiert war. Wenn ein Tierhaus brannte, mußten wir versuchen, den Brand unter Kontrolle zu bringen und zu löschen. Die Tiere wurden dann schnell auf die Freianlage gelassen.

Das große Elefantenhaus in München wurde 1911 von dem Architekten Gabriel von Seidl erbaut. Es hat eine siebzehn Meter hohe Kuppel ohne Stützpfeiler. Das Glas war durch Bomben zerschlagen worden. Wir haben die Kuppel notdürftig mit Brettern verschalt. Wenn bei den Vögeln die Flugvolieren kaputt waren, wurden sie mit Fischnetzen abgedeckt. Zerstört wurden außerdem in München die Buchen, Fichten und die Linden. Im Berliner Zoo wurde der Eichenwald, der teilweise aus der Zeit Friedrich des Großen stammte, verbrannt.

Viele Tiere, die aus ihrem zerstörten Gehege ausgerissen waren, kamen wieder dahin zurück. Tiere kennen ihre Anlage, z. B. die Rothirsche. Sie wissen, hier in unserer Behausung passiert uns nichts.

Die Verpflegung für die Tiere war ausreichend. Es wurden weniger Raubtiere gezüchtet, um nicht zu viele Fleischfresser zu haben. Für manches Tier war der Kriegsausbruch der absolute Tod. Wir hatten in Berlin einen Papagei, den Borstenkopf, der nur Bananen fraß. Als es keine Bananen mehr gab, ging er ein. Besser ging es den Menschen. Wenn nämlich durch Luftangriffe Tiere getötet worden waren

(zum Beispiel wiegt eine Antilope acht bis zehn Zentner), haben wir das Fleisch in die Betriebsküche des Berliner Tierparks – in dem viele ausgebombte Tierpfleger wohnten – in Waschkesseln gekocht. Unter unseren französischen Kriegsgefangenen war ein Koch, der dann das Essen zubereitete. Meine Eltern und ich waren auch ausgebombt, und wir wohnten mit den anderen im Tierkrankenhaus des Zoo. Wurden bei Bombardierungen unsere Wohnungen getroffen – wie auch mein elterliches Wohnhaus – hieß es, zuerst werden die Tierhäuser gelöscht und die Tiere gerettet, dann erst kommen wir dran.

Augenzeugen über die Zeit damals gibt es nicht mehr. Viele unserer Tierpfleger sind tot. Die Pfleger wurden am 1. 9. 1939 in den Krieg eingezogen.

37 *In den Straßen: nach Tod und Zerstörung.* ▷

36 *München brennt.*

7. Die eiserne Ration
im Luftschutzgepäck (1944)

«Aus den Ruinen wird eine neue deutsche Städteherrlichkeit erblühen. Berlin und Hamburg, München und Köln, Kassel und alle die anderen großen und kleinen beschädigten Städte wird man wenige Jahre nach Kriegsende kaum mehr wiedererkennen. Dort, wo die historischen Werke wieder ersetzt werden können, werden wir sie getreu wiederherstellen.» So Adolf Hitler in seiner Neujahrsansprache am 1. Januar 1944.

Für München jedoch begann erst das schlimmste Kriegsjahr. 799mal heulten die Sirenen, 27mal waren britische und amerikanische Flugzeuge über der Stadt, ein einziges Mal, am 10. September, begnügten sie sich mit Bordwaffenbeschuß. Men-

38 *Der Rindermarkt nach seiner Zerstörung.*

39 *Trümmerwüste München: hier die Goethestraße und Schwanthalerstraße*

schen wurden dabei zu lebenden Zielscheiben! Das historische Augsburg war in Flammen untergegangen. Ein Blick auf die Zerstörungen in der eigenen Stadt, die täglichen Meldungen von Bombardements im ganzen «Reich» ließen den Münchnern nur wenig Hoffnung. Selbst in der staatlich gelenkten Presse wurde bereits über eine künftige Invasion der Alliierten spekuliert, die dann als Landung britischer und amerikanischer Truppen am 6. Juni 1944 in der Normandie tatsächlich erfolgte.

Hitlers Tagesbefehl, der Neujahr an die Truppen erging, fand keinen rechten Glauben mehr: «Es mag die plutokratische Welt im Westen ihren Landeversuch unternehmen, wo sie will: er wird scheitern!»

Zu oft hatten sich die Versprechungen der politischen Führung inzwischen als leere Phrasen erwiesen.

Zeitungen und Blockwarte forderten dazu auf, eine «eiserne Ration» ins Luftschutzgepäck zu nehmen: «Dazu gehört vor allem Brot, aber auch, um selbst für einen längeren Aufenthalt im verschütteten Raum vorbereitet zu sein, einiges an dauerhaften Lebensmitteln, z. B. etwas Zwieback, ein Säckchen Zucker, etwas Haferflocken zum Trockenkauen. Unbedingt auch ausreichend Getränk, Wasser, vielleicht eine Flasche Obstsaft, ferner

eine warme Decke und reichlich Papier als Kälteschutz, zum Abdichten von Öffnungen gegen Staub, für alle möglichen Zwecke. In dieser Hinsicht soll sich keiner auf den anderen verlassen.»

Aber es gab noch mehr Regeln. So hieß eine andere: «Klopfzeichen geben! Wie sich Verschüttete verhalten sollen!

Klopfen, Schaben und Rufen von Verschütteten wird von den Horchgeräten sehr gut aufgenommen. Die Zeichen sind möglichst in gleichen Abständen zu geben. Nicht bewährt dagegen haben sich Trillerpfeifen. Ihr Ton geht in dem vorhandenen Verstärkergeräusch (Summen) unter. Ganz besonders zweckmäßig ist das Klopfen, Schaben und Rufen, wenn die Verschütteten wahrnehmen, daß die durch die Bergungsarbeiten bedingten Geräusche aufhören, da dann die Horchgeräte in der Regel in Tätigkeit gesetzt werden.»

Die Bombenangriffe auf Wohnviertel sollten den Widerstandswillen der Bevölkerung brechen und ihr die ganze Sinnlosigkeit dieses Krieges vor Augen führen. Die Menschen reagierten aber nicht selten ganz anders. Der Haß der Betroffenen richtete sich weniger gegen die eigene politische Führung, als vielmehr gegen die Flieger und diejenigen, die die Befehle zum Angriff erteilt hatten.

In Einzelfällen gab es Gewalttaten gegen abge-

57

40 *Danach. Aufräumungsarbeiten in der Sonnenstraße.*

schossene Flieger. 1944 verbot Reichsinnenminister und Chef der Geheimen Staatspolizei Heinrich Himmler der Polizei, einzuschreiten, wenn es zu einer solchen Lynchjustiz kam. Mit Billigung Hitlers stachelte die Partei die Bevölkerung sogar dazu an.

Gerhard Friedl *erinnert sich:*
«Freilassing – 25. April 1945. Ich war sieben Jahre alt und erinnere mich noch gut an diese Zeit. Ich war Schüler und bekam den ersten Eindruck vom Krieg. An diesem Tag sah ich die ersten Toten. Am Nachmittag gab es einen Bombenangriff auf das Heereszeugamt (in der Nähe von Freilassing) unterstützt durch Tieflieger. In der Nacht kam dann das große Unglück. Freilassing wurde in mehreren Wellen durch amerikanische Bomber angegriffen – wie man später

erfahren konnte – mit Bomben aller Art, angefangen von schweren Spreng- bis hin zu Phosphorbomben. Der Angriff dauerte zwanzig Minuten – Freilassing brannte. Es gab in diesem kleinen Ort sechsundsiebzig Tote. Fünfundsechzig Häuser waren total, und einhundertvierundsechzig teilweise zerstört worden. Die vielen Toten wurden in einem Sammelgrab auf dem Freilassinger Friedhof beigesetzt.
Dieser Angriff hat eine Vorgeschichte: Zehn oder vierzehn Tage vorher gab es einen Tiefliegerangriff auf den Bahnhof Freilassing. Aus Zufall stand in dem Bahnhof ein Zug mit einer Vierlings-Flak. Die Soldaten hatten damit einen amerikanischen Tiefflieger abgeschossen. Der Pilot, ein amerikanischer Hauptmann, machte eine Notlandung in der Nähe von Freilassing. Der Nazi-Bürgermeister von Freilassing ließ ihn festnehmen und warf ihm vor, er

hätte auf Frauen und Kinder geschossen und erschoß ihn.

Die eigentliche Bedeutung von Freilassing war gering. Man nimmt an, bestätigt ist dies nicht, daß der schwere Bombenangriff ein Vergeltungsakt für die Erschießung des amerikanischen Piloten gewesen ist. Und die Bevölkerung, die nicht über die Hintergründe informiert wurde, nahm auch die Warnungen vor dem Bombenangriff durch die französischen Kriegsgefangenen nicht ernst.»

Der Publizist Wilhelm Hausenstein, später erster Nachkriegsbotschafter der Bundesrepublik Deutschland in Paris, lebte während der Kriegsjahre in Tutzing. Er fuhr oft ins zerstörte München und schrieb darüber für verschiedene Zeitungen, bis er 1943 mit Berufsverbot belegt wurde. Von da ab vertraute er seinem Tagebuch an, was er in der Stadt gesehen und gehört hatte:

«Die Bombardements der Städte: unwürdig, überdies stupid. Denn was für eine miserable Psychologie: Wenn Engländer und Amerikaner darauf spekulieren, die Betroffenen zu revoltieren, so sind diese durch die Angriffe im Gegenteil ja von jedem politischen Interesse weggezogen, auf das unmittelbar Konkrete ihrer privaten Misere konzentriert.»

Augenzeuge Gerhard Hundsdorfer:

«Zunächst erfolgten die Luftangriffe nur nachts und konzentrierten sich auf bestimmte Viertel in München. Wir standen in Pasing auf dem Balkon und verfolgten mit Interesse, wenn wieder einmal eine englische Vickers Wellington von einem Scheinwerferkreuz erfaßt und von der damals noch unermüdlichen Flak in Trümmer geschossen wurde. Gefährlich waren für uns eigentlich nur die herabzischenden Granatsplitter, die als Souvenir am nächsten Morgen gesammelt wurden. Der Feuerschein am Horizont zeigte ungefähr die Gegend an, die mit Brandbomben heimgesucht worden war. Unangenehmer für die Außenbezirke wurden die pfeilschnellen «Mosquitos», die nur einige Bomben an Bord hatten, aber aufgrund ihrer Geschwindigkeit dem Luftalarm häufig vorauseilten. Da passierte es dann, daß die Sirene kaum verklungen war, und wir die Detonationen hörten. Stets waren nur drei oder vier Häuser getroffen, aber die Bewohner starben fast immer, weil sie die Luftschutzräume nicht mehr erreichen konnten.

1944 wurde das anders. Jetzt kamen auch die amerikanischen Bomber tagsüber. Ich war inzwischen fünfzehn Jahre geworden. Meine Verbindung zur «Welt» war ein kleiner Radioempfänger für fünfunddreißig Reichsmark, den ich mit Hilfe eines Sperrkreises und einer Hochantenne zu einem Wundergerät hochtrimmte. Nicht nur Jazzmusik war zu empfangen, auch die Kommentare der berühmten Engländer Hugh Carlton Green und Linsley Fraser und das Wichtigste: Der verschlüsselte Funk der deutschen Luftabwehr. Sobald ich wußte, daß das immer häufiger angesagte Quadrat «Dora-Dora» den Luftraum über München bedeutete, war es nicht mehr schwierig, eine entsprechende Karte für ganz Südbayern zu entwerfen und damit den Stand der angreifenden Flugzeuge ziemlich genau zu verfolgen. Besser jedenfalls als über den beständig klopfenden Warnsender für die Zivil-Bevölkerung, der auf der Welle LAIBACH lief. Im Ernstfall konnte das zwar nicht lebensrettend sein, aber die Hausbewohner waren für meine präzisen Informationen sehr dankbar. Sie brauchten dadurch nicht den ganzen Tag im Luftschutzkeller zu hocken. Ab Mitte 1944 war ständiger Fliegeralarm an der Tagesordnung.

Am 10. Juli 1944 wurden wir in die großen Ferien geschickt. Niemand wußte, ob im September der

41 *Das letzte Aufgebot 1945. Kurz vor seinem 16. Geburtstag als Dienstpflichtiger gemustert: Wehrpaß von Gerhard Hundsdorfer.*

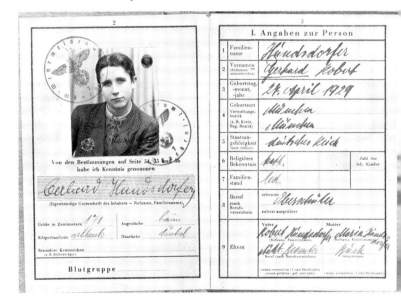

Schulbetrieb auch wieder anlaufen würde. Es war ein strahlend schöner Sommer – und wir gingen baden. Da «Fülöp» – so nannten wir unseren Mitschüler, der eigentlich Erich Hafner hieß – sich auch bei schönstem Wetter mit seiner Geige in dem kleinen Häuschen in Neuaubing verkroch, – dort lebte er mit seinen Eltern und einer jüngeren Schwester – war mein Badekamerad Walter der Dritte in unserem Bunde. Pasing hatte zwei Flußbäder. Am Abend des 18. Juli 1944 lagen Walter und ich im «Steinerbad» und hatten ein bildhübsches Mädchen angeredet. Wir verabredeten uns mit ihr für den nächsten Nachmittag um zwei Uhr an der «Lochhamer Falle» im Süden Pasings. Am Tag drauf, dem 19. Juli, heulte wie gewohnt um zehn Uhr morgens die Sirene. Mein «Geheimsender» verriet nichts Bedrohliches. Im Haus waren um diese Zeit nur zwei ältere Frauen und zwei Männer. Wir wohnten zwischen dem Klostergarten der «Englischen Fräulein» und der über fünfhundert Jahre alten früheren Pfarrkirche. Plötzlich wurde die Mittagsstille durch ein bedrohliches Brummen gestört. Es kam von Nordwesten – und ich rannte auf den Balkon. Mindestens vierzig Flugzeuge vom Typ «Flying Fortress» – damals die größten Boeings – flogen in etwa tausend Meter Höhe auf uns zu. Pasing hatte bis dahin noch nie einen richtigen Angriff erlebt. Diesmal spürte ich, daß der Angriff der kleinen Vorstadt galt. Ich rannte zurück und brüllte die übrigen Bewohner in den Keller. Bis auf den schwerhörigen alten Herrn waren alle unten, als das gräßliche Pfeifen der fallenden Bomben einsetzte, das mir noch viele Jahre in den Ohren hallte.

‹Die man pfeifen hört, schlagen woanders ein› – hatte mir ein Nachbar versichert, Oberstleutnant der Reserve. Dann krachten die ersten Bomben in immer größerer Nähe. Ich lief trotz aller Proteste hinauf, um den alten Herrn zu holen. Widerspenstig stand er unter der Tür und wollte seine Kartoffeln nicht anbrennen lassen. Und da krachte es auch schon. Der Luftdruck warf uns fast die Treppe hinunter. Die Frauen lagen in Todesangst auf dem Steinboden des Kellers und forderten uns schreiend auf, das gleiche zu tun. Dann hörten wir ein durchdringendes Jaulen in nächster Nähe – ein Krach, der uns fast das Trommelfell sprengte und Geräusche von splitterndem Holz. Als wir danach aus unserer Höhle krochen, war die Staubwolke ringsum so dicht, daß wir im ersten Moment nicht feststellen konnten, ob das Haus zerstört war oder nicht. ‹Euer

Häusel steht noch›, rief ein Nachbar, der sich im Garten einen Bunker gebaut hatte. Einige Fensterrahmen lagen auf der Straße. Das Dach war teilweise abgedeckt, die Möbel kaputt. Ein Flügel des Klosters gegenüber brannte. Fünfzig Meter weiter war vor der fast unbeschädigten alten Kirche ein riesiger Bombenkrater.

Kurz vor zwei Uhr kam Walter angeradelt ‹Hast du unseren Treff vergessen?›, fragte er. Ich holte mein Fahrrad und die Badehose. Wir strampelten in Richtung «Lochhamer Falle». Trotz eifrigen Suchens fanden wir das Mädchen nicht. Das wurmte uns, denn wir wußten ihre Adresse nicht. Walter deutete über die Liegewiese hinweg, wo über Neuaubing noch eine schwarze Dunstwolke hing. ‹Wir wollen nach Fülöp sehen›, meinte er. Und so radelten wir los. Als wir näherkamen, wurde uns klar, daß der Luftangriff vom Mittag den Flugzeugwerken von Dornier gegolten haben mußte. Es war ein Bombenteppich auf zwei umliegende Stadtteile gelegt worden, um das Werk auch sicher zu treffen. Die Siedlung, in der Fülöp wohnte, lag gleich neben Dornier. Vor der Stelle, an der das kleine Haus noch bis vor Stunden gestanden hatte, war ein riesiger Menschenauflauf. Ein Trümmerhaufen um einen Krater war übriggeblieben. Wir drängten uns durch. Gerade holten Männer die Leichen von Fülöps Mutter und Schwester aus der Grube. Als sie Fülöp brachten, erkannten wir ihn nur an seiner zerfetzten gelben Jacke. Wir rannten davon und fuhren ein paar Stunden ziellos umher.

Im Herbst holten sie unsere Schulkameraden des Jahrgangs 1928 – 16 Jahre alt – als Luftwaffenhelfer zur Heimatflak. Obwohl es verboten war, besuchten Walter und ich ihre Baracken, die völlig schutzlos zwischen den Flakgeschützen im sogenannten Gleisdreieck standen, wo die Bahnlinie München–Nürnberg vom westlichen Hauptstrang abzweigte. Im Januar schnappte die Falle zu. Ein Nachtangriff der Engländer brachte mit einigen Volltreffern die Stellung zum Schweigen. Sieben meiner Schulkameraden zogen sie damals zwischen den Trümmern der Baracke als verstümmelte Leichen aus Schnee und Eis.

Kurz vor meinem sechzehnten Geburtstag, im April 1945, wurde ich gemustert: Tauglich! Zu Hause lag ein Stellungsbefehl der Hitlerjugend für den nächsten Morgen in ein Panzer-Nahbekämpfungslager, wo wir Sechzehnjährigen mit einer Panzerfaust ge-

60

gen die Amerikaner kämpfen sollten. Ich bin mit meinem Freund in Richtung Regensburg geradelt, wo dessen Mutter bei Verwandten evakuiert war. Inzwischen versuchten zwei Polizisten, mich zu Hause abzuholen.

Als die Amerikaner über die Donaubrücke von Kelheim vorrückten, bekamen wir Angst und fuhren nachts zwischen den zurückflutenden Wehrmachtseinheiten in Richtung Heimat. Mit fünfzig Eiern, Rauchfleisch und Butter auf dem Gepäckträger hängte ich mich mit meinem Stahlroß an einen Opel-Blitz, der mit sechzig Sachen ganze Kolonnen überholte.

Hinter dem zerstörten Landshuter Bahnhof ließ ich das Auto los. Ich radelte durch das Trümmerfeld, das einmal München gewesen war. Es war wieder Fliegeralarm. Ein Luftschutzmann schrie mir zu, ich solle vom Rad steigen. Meine Apathie wich erst von mir, als ich vor einem Haus in Laim den gleichen Jungbannführer in voller brauner Montur stehen sah, der mir den Befehl für das Panzernahbekämpfungslager hatte zustellen lassen. Trotz meiner großen Müdigkeit fuhr ich einen Umweg über Großhadern. Der nächste Schock kam, als ich die Begrenzungsmauern des benachbarten Klosters suchte. Da stand nichts mehr. Und kurz darauf sah ich unser Haus. Es stand mit leeren Fensterhöhlen und war bewohnt.

Zwei Tage später waren die amerikanischen Panzer da. Der Kampf um Pasing war kurz. Ein Granatwerfer bellte. Französische Zwangsarbeiter mit Baskenmützen hatten irgendwo Gewehre gefunden und ballerten damit herum. Ein Nachbar murmelte etwas von dem «doch sehr kurzen tausendjährigen Reich». Und ein alter Mann mit Krückstock scheuchte einige flaumbärtige Helden von seinem Grundstück. Einen von ihnen zerriß seine eigene Panzerfaust. Der alte Mann griff in die Jackentasche des Toten und holte eine blutige Schachtel Zigaretten heraus. Dann ging der Ortsgruppenleiter im schlichten Wehrmachtswams über die Würmbrücke und übergab den Stadtteil «kampflos». In der Nacht darauf donnerte immer noch ein hartnäckiges Eisenbahngeschütz in der Nähe von Lochhausen, bis es durch den letzten Luftangriff auf München zum Schweigen gebracht wurde.

Als Tage drauf mein Vater als Volkssturmkämpfer heimkam, war die in Trümmern liegende Welt wenigstens im Moment für uns wieder in Ordnung.»

Am 18. März 1944 gab es den ersten Angriff am Mittag. Die Amerikaner waren über der Stadt. Sie warfen vorwiegend Sprengbomben. Diesmal ging das Cuvilliés-Theater verloren, das trotz energischer Löschversuche der Feuerschutz-Polizei, des Sicherheitshilfsdienstes und des technischen Theaterpersonals völlig ausbrannte. Da war es nur ein schwacher Trost, daß der wertvolle Rokoko-Schmuck rechtzeitig vorher entfernt und in Sicherheit gebracht worden war. Beim Wiederaufbau nach dem Kriege stellte sich heraus, daß nur das im Pfarrhaus von Obing ausgelagerte Interieur die Wirren unbeschädigt überstanden hatte. Die wertvollen Rokokofiguren, die in den feuchten Kellerräumen der Befreiungshalle bei Kelheim überdauert hatten, mußten gründlich restauriert werden. Da sich der Leim gelöst hatte, waren ganze Teile auseinandergebrochen, Gold war abgeblättert.

Zertrümmert waren auch die Maxburg, die Alte Akademie, die Allerheiligen-Hofkirche und andere historische Gebäude. Unter der Rubrik «Die Bevölkerung hatte Verluste» waren 172 Tote zu notieren.

Aus dem Tagebuch von **Helene Marschler**
19.3.1944
Mama und ich fahren nach München. Vom Isartalbahnhof müssen wir zu Fuß gehen, da kaum eine

42 *Zusammengetragen aus Trümmern, geborgen für den Wiederaufbau.*

Tram verkehrt. Die ersten größeren Schäden sehen wir am Sendlingertorplatz. Um den Färbergraben ist abgesperrt. In der Maximilianstraße haben einige Sprengbomben bis in die Keller durchgeschlagen. Im Hintergrund konnte man die traurigen Reste des im Hofgarten gelegenen Flügels der Residenz und der Allerheiligen-Hofkirche sehen. Auch das Hotel VIER JAHRESZEITEN ist getroffen.

22. 3. 1944

Ungarn ist von deutschen Truppen besetzt worden. Eine neue Regierung ist gebildet worden. Gleichzeitig wurde der Beginn des japanischen Vormarsches auf indisches Gebiet gemeldet. Seit einiger Zeit finden schwere deutsche Luftangriffe auf London statt.

24. 4. 1944

Mittags Alarm. Man hört fernes Schießen, kein Zweifel, daß der Raum München betroffen ist. Ich bekomme keine Verbindung mit München und beschließe voll Sorgen am nächsten Tag hinzufahren. Inzwischen stellt sich heraus, daß der Angriff der Umgebung Münchens, besonders den Flugplätzen, gegolten hat. Josef Schmid, der uns über die Nachrichten der ausländischen Sender informiert, sagt: «Wenn das nur nicht die Vorbereitung auf einen großen Angriff heute nacht ist.»

25. 4. 1944

Nachts 1 Uhr wieder Alarm. Ich gehe auf den Balkon. Dumpfe Einschläge und Feuerschein in der Ferne. Die Nacht ist ruhig. Der Himmel ist leicht bewölkt. Ich warte auf die Entwarnung. Sie kommt drei Stunden später. Vor sechs Uhr bin ich schon auf dem Bahnhof Kiefersfelden. Der Beamte sagt: «Sie werden wohl nicht in die Stadt hineinfahren können, der Hauptbahnhof brennt.» In Rosenheim steht der Zug zwei Stunden. Ein Hilfszug, Soldaten und Arbeiter mit Spaten, Leitern und Kabeln, fährt noch vor uns ab; ein schlechtes Vorzeichen. Langsam geht es nach Trudering weiter. Es regnet in Strömen. Trotzdem steigen Leute aus, da der Zug wieder zwei Stunden hält. Im Schneckentempo geht es zum Ostbahnhof. «Alles aussteigen», heißt es dort. Der Bahnhof steht in hellen Flammen. Mehrere Löschzüge sind eingesetzt worden. Der Trambahnverkehr ist unterbrochen. Wir gehen zu Fuß zum Isartalbahnhof. Der Weg führt in Wolken von Qualm und Asche. Einige Male muß ich umkehren, weil Feuer, Schuttmassen oder Löschzüge den Weg versperren. Ich kann kaum etwas sehen, weil mir der Rauch und die Asche die Augen verkleben. Alles das ist nichts gegen die Angst um die Eltern.

Schließlich frage ich einen Soldaten nach dem Weg, der hat noch eine zweite Brille in der Tasche, die er mir gibt und mich durch brennende Straßen hindurch führt. In Giesing ist mindestens jedes zweite Haus betroffen, die Giesinger Kirche ist zerstört, der Platz, wo früher der Dult war, ein rauchendes Trümmerfeld. Ständig begegnen uns verstörte Menschen mit ein paar Habseligkeiten auf dem Arm. Viele weinende Frauen. Dort, wo die Isaranlagen beginnen, haben sich Hunderte von Menschen versammelt mit geretteten Möbeln und Betten. Ein trostloses Bild – strömender Regen – im Hintergrund Feuer und Rauch.

13. 6. 1944

Früh 9 Uhr Radiomeldung: «Starke feindliche Kampfverbände im Anflug auf Tirol und Bayern.» Alarm. Ich schicke die Kinder in den Wald. Dann fliegen fast pausenlos zwei Stunden lang die Flugzeuge über uns hinweg, so daß man ganz deutlich Jäger und viermotorige Bomber voneinander unterscheiden kann. Ein Abschuß: Drei mit Fallschirmen abspringende Piloten. Der Laibacher Sender hatte angesagt: «Die Masse der feindlichen Flugzeuge befindet sich über München.» Ich versuchte, gleich nach der Entwarnung nach München zu kommen. Sämtliche Schnellzüge fielen aus. In Rosenheim saß ich drei Stunden. Aber was bedeuten Angst und Mühe gegen die Erlösung, das unversehrte Haus zu sehen und die Eltern in Sicherheit zu wissen.

14. 6. 1944

Kaum bin ich eingeschlafen – wieder Alarm. Heftiges Schießen und Detonationen wahllos über dem ganzen Stadtgebiet. Am Nachmittag kann ich vom Südbahnhof aus fahren, da die Bahnstrecke Hauptbahnhof–Südbahnhof zerstört ist, besonders die Hacker- und die Donnersberger Brücke. Die Toten der letzten Angriffe sind außerordentlich hoch, da fast nur Sprengbomben geworfen wurden. So wurde in Berg am Laim eine Schule mit dreihundert Kindern getroffen, die fast alle verschüttet wurden. Bis zum Morgen waren schon achtunddreißig Kinder geborgen. Bei meiner Ankunft am Hechtsee wird mir erzählt, die Flugzeuge seien auch nachts so zahlreich und tief über den See geflogen, daß die Kinder mit den anderen Hausbewohnern im Wald geblieben seien.

10. 7. 1944

Die militärische Lage ist trostlos: Der Atlantikwall ist durchbrochen worden, ein gewaltiges Aufmarschgebiet für den Feind in der Normandie ge-

Einzelpreis 20 Pfg.

Münchner Neueste Nachrichten

Wirtschaftsblatt, Alpine und Sport-Zeitung, Theater- und Kunst-Chronik

Die große Tageszeitung des deutschen Südens

Fernruf 1296

97. Jahrgang   Mittwoch, 7. Juni 1944   Nr. 157

Die Schlacht um Europa hat begonnen

Landungen des Feindes von der Normandie bis Dünkirchen / Hauptstöße gegen Caën, Carentan und Cherbourg / Hohe Feindverluste

Angriff und Abwehr am ersten Tag

Stunde der Entscheidung

Vollständige Ruhe in Paris

Marschall Pétain ruft die Franzosen zu Loyalität und Pflichterfüllung auf

43 *Am Tag vorher, 6. Juni 1944, 6.30 Uhr, hat die alliierte Landung in der Normandie begonnen. Im Zeitungskommentar dazu: «Der Luftkrieg ist auch und gerade in seiner scheußlichsten Terrorform als kriegsentscheidendes Mittel ausgeschieden.» Am 9. Juni stürzen 1517 Spreng- und 247 Phosphor- und Flüssigkeitsbrandbomben auf München.*

schaffen. Tägliches Zurückweichen unserer Truppen in Italien und Rußland.

12.7./13.7./14.7.1944

An allen drei Tagen vormittags Alarm. Dritter Angriff auf München in drei Tagen. Es ist zum Verrücktwerden. Zum erstenmal lassen meine Nerven aus, denn niemand weiß Genaueres. Ich muß unter allen Umständen versuchen, zu den Eltern zu kommen.

21.7.1944

Ich hatte den Kinder versprochen, mit ihnen eine Tour ins Kaisertal zu machen. Auf der Kufsteiner Brücke überraschte uns der Alarm. Wir liefen durch die Stadt zum Kaiser hin, um nicht stundenlang in einem fremden Keller sitzen zu müssen. Inzwischen

waren die Flugzeuge schon herangekommen und sausten teilweise ganz tief über uns hin. Sie nahmen kein Ende – ständig hörte man Flakschießen und Bombenabwürfe wie ein schweres Gewitter – in Oberaudorf, Raubling, Rosenheim und Kufstein. Ganz schlimm wurde es, als wir etwa dreihundert Meter über dem Pfandlhof weitab von Weg und Menschen Schwammerl suchten. Über uns entwickelten sich heftige Luftkämpfe – Maschinengewehrfeuer. Plötzlich sahen wir zwei Fallschirme direkt über uns, die hin und her pendelten. Die Männer waren deutlich zu erkennen. Ein Windstoß trieb sie dann ab und ließ sie erst hinter der nächsten Felswand – etwa zwanzig Meter entfernt – zur Erde gehen. Im selben Augenblick flog ein Flugzeug in etwa

fünfzig Meter Höhe über uns hinweg und gleich dar-
auf noch einmal. Es sah in der grellen Sonne aus wie
durchsichtiges Glas. Das Motorengeräusch wurde
noch lauter, dann ein gewaltiger Knall – Grabes-
stille. Der viermotorige Bomber war etwa hundert
Meter vom Pfandlhof fast senkrecht in die Erde ge-
stürzt mit der Schnauze voran und in tausend Trüm-
mer zerschellt. Einer der abgesprungenen Piloten
war bereits gefaßt und in einem Nebenzimmer beim
Verhör, einer lag tot in der abgestürzten Maschine.
Soldaten waren beim Löschen und kontrollierten
die noch erhaltenen Papiere. Eine Karte vom Raum
München bekam ich in die Hand. Jedes kleinste
Nest war darauf angegeben. Mit Bleistift dick um-
randet waren auf einer weiteren Karte Linz und
Nürnberg. Bei München waren drei dicke Kreise
eingezeichnet, ein ganz dicker um Moosach, zwei

kleinere um Forstenried und der andere nicht weit
von Grünwald.

20. 7. 1944
Abends wird im Radio bekanntgegeben, daß durch
einen kleinen Kreis von Offizieren ein erfolgloser
Sprengstoffanschlag auf den Führer gemacht wor-
den ist. Der Attentäter: Oberst Graf Stauffenberg.
Mehrere Generäle wurden schwer, einige leicht ver-
letzt.

21. 7. 1944
Schwerer Terror-Angriff auf München.

22. 7. 1944
Einige Münchner kommen an, völlig erschüttert.
Die Stadt ist jetzt etwa zu dreiviertel zerstört: Sta-
chus, Sendlingertor, Isartor, zuletzt noch das Deut-
sche Museum, die Ludwigsbrücke, nochmals das
Bahnhofsviertel, das Deutsche Theater.

44 *Die zerstörte Innenstadt – Theatinerstraße und Theatinerkirche.*

31.7.1944

Angriff auf München, vor allem Schwabing.

5.8.1944

*Die allgemeine Stimmung ist unendlich niederge-
schlagen. Die Russen stehen vor der ostpreußischen
Grenze, die Engländer rücken unheimlich schnell in
Frankreich vorwärts. Es wird erzählt, daß nach Kiefersfelden allein neunhundert Münchner evakuiert
werden sollen.*

28.10.1944

*Nach München. Wie ich abends nach 7 Uhr am Süd-
bahnhof ankomme, ist Alarm. Ich erwische während der Schießerei noch einen Zug nach Hause.*

3.11.1944

Langer Alarm, Angriff auf München.

6.12.1944

Um 5.30 Uhr in der Früh will ich nach München

45 *Gastwirtschaft Zum Spöckmeier in der Rosenstraße
mit Aufrufen über Meldung von Kriegsschäden und
zur Pockenschutzimpfung.*

46 *Menschen in Trümmern . . . beim Löschen*

47 ... beim Suchen nach der letzten Habe ...

48 . . . aus den
Kellern noch
einmal davonge-
kommen

fahren. Um 4 Uhr werde ich von unaufhörlichem starkem Flugzeuggebrumm geweckt. Alarm. Der Zug fährt nicht, erst um 8 Uhr. In Rosenheim wird verkündet, der Anschluß nach München ist unbestimmt. Warten bis 10 Uhr. Voralarm. Schließlich geht doch ein Zug. Hinter Großkarolinenfeld bleibt der Zug auf der Strecke stehen. Wir hören Gebrumm und Schießen. Schließlich sehen wir, eingequetscht in dem überfüllten Zug, zwei Bomber direkt auf uns zufliegen. Ein paar Meter hinter uns krachen die Bomben. Viele Menschen schreien. Ein Landser sagt: «Muß schon komisch sein, wenn man wieder aufwacht und merkt, daß man tot ist.»

15. 12. 1944
Schwerer Angriff auf Rosenheim. Die Züge nach München verkehren nicht. Der Bahnhofsbunker in Rosenheim ist getroffen worden. Viele Tote. Auch Innsbruck hat einen schweren Angriff.

16. 12. 1944
Bei strahlendem Wetter ist wieder die Strecke Brenner–München das Bombardierungsziel – außerdem Ulm und Passau.

Die Nacht des 25. April verwandelte München dann in ein riesiges Flammenmeer. 550 000 Stabbrandbomben und 25 249 Phosphor- und Flüssigkeitsbrandbomben richteten entsetzlichen Schaden an. Diesmal traf es unter anderem die Alte Pinakothek, den Alten Peter, die Michaeliskirche, das Stadtmuseum, das Maximilianeum, das Odeon und das Wittelsbacher Palais mit dem Hauptsitz der Gestapo. 11 000 Wohnungen, 2000 Betriebe, 17 Schulen, 10 Kirchen, 3 Krankenhäuser wurden zerstört. 70 000 Münchner verloren ihr Obdach. Zertrümmert wurde auch das Hotel Bayerischer Hof. Von den etwa 300 Hotels, Fremdenheimen und Gasthöfen mit insgesamt 12 000 Betten blieben nach den Angriffen bis Kriegsende 70 bis 300 Betten übrig. Eine ähnlich traurige Bilanz ergab sich bei den Großgaststätten, die ebenfalls fast total zerstört wurden.

Mit wenigen Ausnahmen vermieden es die Zeitungen, Bilder von den Verwüstungen zu bringen. Es erschienen dagegen vermehrt Aufsätze, in denen auf den kulturellen Wert der nun zerbombten Kunstschätze aufmerksam gemacht wurde. Die beigefügten Fotos zeigten die Baudenkmäler im alten Glanz. Privatpersonen war das Fotografieren der Kriegszerstörungen bei Androhung der Todesstrafe verboten.

Über alle Phasen dieses Angriffs vom 25. April 1944, über die Lösch- und Aufräumungsarbeiten, die Behandlung der Verletzten, Bergung der Gefallenen, den Abtransport der «Leichenteile» und die Unterbringung der Obdachlosen wurde bei den einzelnen Luftschutzrevieren genau Buch geführt. Alle diese Unterlagen sind im Stadtarchiv erhalten und vermitteln ein sehr ins einzelne gehendes grauenvolles Bild von der damaligen Lage in der zerbombten Stadt.

Auf Vordrucken haben die verschiedenen Reviere eingetragen, wieviel und welche Bombenarten auf ihre Gebiete fielen, welche Schäden sie anrichteten und welche Gebäude und Betriebe vollständig oder nur teilweise zerstört wurden. Nach jedem Angriff mußten die Revierleiter auch genaue Meldungen für die zuständigen Luftschutzabschnittskommandos schreiben. Da fällt manches Licht auf die Haltung der Verfasser. Da loben einige die Einsatzbereitschaft ihrer Helfer und teilen «nach oben» mit, daß auch die betroffene Bevölkerung Mut und Stärke bewiesen habe. So heißt es z. B. in einem Schreiben vom 3. Mai:

«Die Stimmung und die Haltung bei den Führern, Unterführern und Männern war während des Einsatzes ausgezeichnet, da sie ihr Können und ihren Willen unter Beweis stellen konnten. Besondere Freude rief die Einrichtung der sogenannten ‹Freien Jagd› hervor, da bei dieser Einsatzart die Führer und Männer aus eigener Initiative heraus arbeiten durften.»

Angesichts der ungeheuren Zerstörungen klingen jedoch andere Berichte sehr viel realistischer. Da wird nämlich aufgezählt, woran es fehlte und was alles nicht geklappt hat. So wird unter dem Datum des 5. Mai festgehalten, daß es für den Selbstschutz nicht genügend Kräfte gab, da ja außer Frauen und alten Männern alles bei der Wehrmacht sei. Geklagt wird über den Mangel an Wasserbehältern, Drehleitern, Arbeitsgerät für die zu den Aufräumungsarbeiten herangezogenen Häftlinge und Ausländer, Leichtmotorrädern für die nur mit Fahrrädern ausgerüsteten und als Melder eingesetzten Hitlerjungen. In einem anderen Bericht heißt es wörtlich: «Fest steht, daß bei ausreichender und rechtzeitig eintreffender Löschhilfe siebzig Prozent der vom Brand zerstörten Gebäude nicht vollständig ausgebrannt wären.»

Dabei waren jedoch gerade nach diesem Angriff am 25. April fast alle Löschgruppen der näheren und weiterer Umgebung nach München beordert worden. Dazu gehörten die Feuerwehren aus Altötting, Rosenheim, Bad Reichenhall, Wasserburg, Gars, Traunstein und Bad Aibling, um nur einige zu nennen.

Pfarrer Georg Els *erlebte die Bombenangriffe vom 11. 11. 1944, 18. und 25. 4. 1945 in Traunstein:*
«Der 11. November 1944 war ein sehr nebeliger Herbsttag. Wir waren gegen 10.30 Uhr in meinem Arbeitszimmer in Traunstein. Ich war dort Stadtpfarrprediger. Plötzlich gab es einen dumpfen Knall. Wir waren bis jetzt nicht auf Bombenangriffe eingestellt. Ich hatte Nachtdienst und konnte die Flugzeuge über München verfolgen. Plötzlich wurde es auch für uns in Traunstein Ernst. Es war ein kurzer Angriff. Die Bomben sollten bei den drei Angriffen offensichtlich das Umspannwerk treffen.

49 *Pfarrer Georg Els – Traunstein*

Damit sollte wohl die Verbindungslinie der elektrisch betriebenen Bahn Salzburg–München zerstört werden, um den Nachschub nach Wien zu unterbinden. Die Flugzeuge trafen nicht ihre Ziele, und so ging die Hauptlast der Bomben im November auf ein Haus in einem kleinen Ort nieder. Das Haus wurde zerstört. Der alte Bauer konnte gerettet werden. Er landete samt seinem Bett auf dem Misthaufen. Eine Familie mit ungefähr zehn Personen (Erwachsenen und Kindern), die von Duisburg evakuiert worden war, ist bei diesem Angriff umgekommen.
Der Vorort Haßlach war schwer getroffen worden. Dabei erlitt mein dortiger Kollege schwere Verletzungen. Haßlach lag auch an der Bahnlinie, ebenfalls nicht weit vom Umspannwerk entfernt.
Ich hatte die Kirche zu verwalten und bei Nacht zu sichern. Am 19. März 1944 war dann ein Großangriff auf Landshut, meine Heimatstadt. Dort wurde u. a. das Bahnhofsviertel total zerstört.
Dann kam der 18. April 1945 – nachmittags gegen 14.30 Uhr gab es Alarm – und auf einmal krachte es. «Christbäume» wurden abgeworfen. Wir hatten nur einen kleinen Keller. Der Angriff ging in drei Wellen los. Getroffen wurde das Bahnhofsviertel. In der Unterführung wurden 124 Menschen getötet – 57 Traunsteiner, französische Zwangsarbeiter und Menschen, die mit der Bahn von Trostberg gekommen waren. Bis heute konnten verschiedene Bombenopfer noch nicht identifiziert werden. Zerbombt waren der Bahnhof, die Güterhalle, die Post, das Fernmeldeamt, das Umspannwerk, landwirtschaftliche Lagerhäuser, zwei Gasthäuser, zwölf Wohngebäude und die evangelische Kirche.
Die Beerdigung der Toten war sehr schwierig. Am nächsten Tag wurde zusammen mit den Angehörigen ein Massengrab geschaufelt. Wir haben von neun Uhr morgens Gräber eingesegnet und mußten den Tag über auf dem Friedhof bleiben, weil wir wegen der Tiefflieger erst bei Dunkelheit nach Hause gehen konnten. Dann hatten wir acht Tage Ruhe und dachten, es sei alles vorüber. Am 25. April vormittags war die Bahnlinie München–Salzburg wieder befahrbar. Das erfuhren die Amerikaner – und kurz danach krachte es wieder. Das Umspannwerk wurde getroffen und außer Betrieb gesetzt. Am Abend war dann noch ein schwerer Angriff auf den Obersalzberg, 60 km von Traunstein entfernt. Man vermutete Hitler in der Alpenfestung. Wir waren we-

gen der andauernden Bombardierungen im Keller und spürten dort die Erschütterungen durch die abgeworfenen sogenannten Möbelwagen-Bomben auf den Obersalzberg.»

Vor allem die «kasernierten Ausländer» wurden als Suchtrupps nach unbemerkt niedergegangenen Blindgängern ausgeschickt. Trotzdem konnte nicht vermieden werden, daß Kinder und Jugendliche solchen Bomben zu nahe kamen und bei der Explosion verletzt oder getötet wurden.

Kritik übten einige Revierleiter auch an den Luftschutzräumen, von denen viele den Sprengbomben nicht standhielten. Das für Giesing zuständige 17. Revier hatte, wie andere auch, den Anflug der feindlichen Flugzeuge genau beobachtet. Nachdem die Stadt durch Leuchtbomben grell erleuchtet worden war, ließ sich genau ausmachen, «wie deutlich die Giesinger Kirche anvisiert wurde und unter Fortsetzung einer Linie zur Maria-Hilf-Kirche in der Au und der anderen zur Johanniskirche in Haidhausen» die Bomben abgeladen wurden. Dabei wurden, so heißt es in der Meldung weiter «Agfa und die Reichszeugmeisterei entweder nicht berührt oder nur durch verstreute Angriffe leicht getroffen». Ziel des Angriffs war also deutlich die Zivilbevölkerung.

Die einzelnen Luftschutzreviere hatten auch Vermißtenmeldungen auszustellen und Korrespondenz mit Frontsoldaten zu führen, deren Angehörige entweder verletzt oder getötet worden waren. In Einzelfällen waren Bescheinigungen über Schäden auszustellen, damit Soldaten zur Bergung und Unterbringung geretteten Mobiliars einen Kurzurlaub erhielten. Ein knappes halbes Jahr vor Kriegsausbruch wurden Verordnungen für die Verdunkelung der Straßen und Häuser erlassen. Luftschutzwarte überprüften, ob überall Wassereimer, Löschsand und Feuerpatschen vorhanden waren. Wer gegen die neuen Vorschriften verstieß, wurde streng bestraft. Jahrelang hatten die Nazis die Hitlerjugend auf den Kriegsdienst vorbereitet. Kinder und Jugendliche wurden – so hieß das damals – in die «Heimatfront» eingereiht. Nachdem viele Männer an der Front waren, wurden Münchner Hitlerjungen – meist Schüler – zum Luftschutz eingezogen.

Auch **Edgar Häfelin** *gehörte dazu:*
«Ich war der Leiter der Löschgruppen der HJ (Hitlerjugend), der damaligen staatlichen Jugendorga-

50 *Edgar Häfelin war 1941 – 45 bei der Hitlerjugend (HJ) und 1944 – 45 Löschzugführer.*

nisation. Das Gebiet ging vom Sendlinger Torplatz bis hinaus nach Solln, begrenzt auf der einen Seite durch die Isar, und auf der anderen Seite durch die Lindwurmstraße.
Ich war damals siebzehn Jahre alt. Die mir unterstellten sogenannten Feuerwehrmänner waren zwischen vierzehn und sechzehn Jahre alt. Es gab auch jüngere. Die Beteiligung war freiwillig. Es war damals kein Problem, Freiwillige zu finden. Die Organisation sah so aus, daß die Löschgruppen jeweils eine Motorspritze hatten, die in einem Kastenwagen mit Zubehör untergebracht war und von sechs Leuten gezogen wurde. Davon gab es in München 485

70

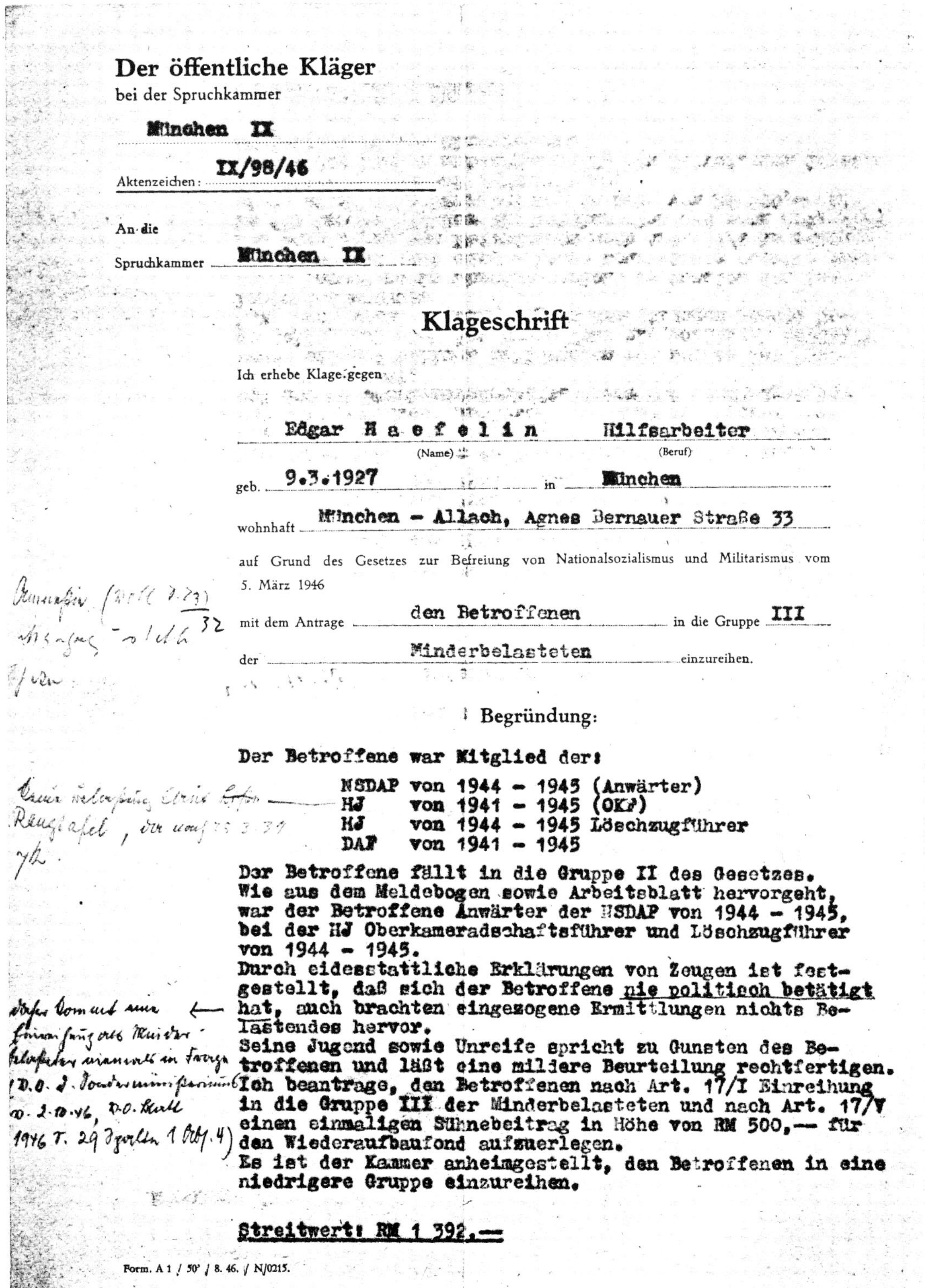

Der öffentliche Kläger

bei der Spruchkammer

München IX

Aktenzeichen: **IX/98/46**

An die

Spruchkammer **München IX**

Klageschrift

Ich erhebe Klage gegen

Edgar Haefelin   **Hilfsarbeiter**

(Name)   (Beruf)

geb. **9.3.1927**   in   **München**

wohnhaft **München - Allach, Agnes Bernauer Straße 33**

auf Grund des Gesetzes zur Befreiung von Nationalsozialismus und Militarismus vom 5. März 1946

mit dem Antrage   **den Betroffenen**   in die Gruppe   **III**

der   **Minderbelasteten**   einzureihen.

Begründung:

Der Betroffene war Mitglied der:

NSDAP	von 1944 - 1945	(Anwärter)
HJ	von 1941 - 1945	(OKF)
HJ	von 1944 - 1945	Löschzugführer
DAF	von 1941 - 1945	

Der Betroffene fällt in die Gruppe II des Gesetzes. Wie aus dem Meldebogen sowie Arbeitsblatt hervorgeht, war der Betroffene Anwärter der NSDAP von 1944 - 1945, bei der HJ Oberkameradschaftsführer und Löschzugführer von 1944 - 1945.

Durch eidesstattliche Erklärungen von Zeugen ist festgestellt, daß sich der Betroffene nie politisch betätigt hat, auch brachten eingezogene Ermittlungen nichts Belastendes hervor.

Seine Jugend sowie Unreife spricht zu Gunsten des Betroffenen und läßt eine mildere Beurteilung rechtfertigen.

Ich beantrage, den Betroffenen nach Art. 17/I Einreihung in die Gruppe III der Minderbelasteten und nach Art. 17/V einen einmaligen Sühnebeitrag in Höhe von RM 500,-- für den Wiederaufbaufond aufzuerlegen.

Es ist der Kammer anheimgestellt, den Betroffenen in eine niedrigere Gruppe einzureihen.

Streitwert: RM 1 392.--

Form. A 1 / 50' / 8. 46. / N/0215.

51 *Nach dem Krieg wurde Edgar Häfelin der «Prozeß» gemacht. Er wurde als «Minderbelasteter» eingestuft, da er – wie es hieß – «zur Kriegsverlängerung» mit beigetragen hatte. Hier seine Klageschrift.*

Dieser Sachverhalt rechtfertigt nach Art. 33/IV des Gesetzes die Klage.
Die örtliche Zuständigkeit der Spruchkammer ist nach Art. 29 des Gesetzes begründet.
Ich beantrage die Anordnung ~~der mündlichen Verhandlung~~ / des schriftlichen Verfahrens.

Beweismittel:

1. Urkunden

Meldebogen , Arbeitsblätter

2. Zeugen

3. Sachverständige

4. weitere Beweismittel

München, den 26.11.1946

Öffentlicher Kläger III

M. Karg

(Karg)

ÖFFENTLICHER KLÄGER + MÜNCHEN IX +

Löschspritzen bzw. Geräte. München war die Stadt, die mit diesen Geräten am besten von allen Groß-städten ausgestattet war, weil der damalige Gauleiter – Paul Giesler – aus einer Familie stammte, die eine Feuerwehr-Gerätefabrik in Westfalen hatte. Man hat uns als «Luftschutzfachmänner» angelernt. Wir sind mit neunzig Mark im Monat notdienstver-pflichtet worden und haben dies hauptberuflich ge-macht. Ich war kaufmännischer Lehrling als ich notdienstverpflichtet wurde. Der Brandmeister Hauser der Städtischen Berufsfeuerwehr hat uns geschult.

Die Organisation sah so aus, daß jeder in seinem Fliegergepäck – so der amtliche Ausdruck – Anwei-sungen hatte, was er zu tun hatte. Die Hauptver-pflegungsstelle war in München im Englischen Garten, im Milchhäusl. Das war eine Gaststätte. Um München herum waren Zweiglager. So standen auch rund um München vor jedem Angriff bereits die Löschgruppen der Landkreise bereit. Es war so, daß man von Seiten der Regierung oder durch Agenten erfahren hat, in welchen Städten Luftan-griffe bevorstehen. Man hat dann die hauptberuf-lich Tätigen zusammengezogen und in andere Städte gefahren, um Erfahrungen auszutauschen. Wir fuhren beispielsweise nach Köln oder nach Berlin und holten uns dort neue Anregungen oder halfen mit unseren Erfahrungen. Es war nicht so, daß die Bevölkerung gegen die Regierung wegen der Luftangriffe opponiert hätte. Das Gegenteil war der Fall. Die Bevölkerung hat das Nächstlie-gende gesehen, nämlich den Feind, der Bomben abwarf. Der Haß gegen den Feind wurde unge-heuer geschürt.

Nach dem Krieg war es so, daß von den Spruchkam-mern jeder, der einer Organisation der NSDAP an-gehört hatte, angeklagt wurde. Ich war bei einer Vernehmung gefragt worden, ob ich zugäbe, daß ich nur damals gelöscht hätte, um den Krieg zu ver-längern. Der Verhörende sagte zu mir: ‹Man merkt deutlich, daß Sie ein Nazi sind, denn Ihr Einsatz war so, daß er zweifellos auf die Kriegsverlängerung abgezielt hat.›»

Im Bereich des 27. Luftschutzreviers lag der Reichssender München, der am 25. April erneut getroffen wurde. Diesmal brannte es vor allem im Senderaum. In Flammen stand die Orgel. Zusam-men mit den 13 Mann Bereitschaftsdienst und her-beigeeilten weiteren Mitarbeitern konnte im Funk-

haus eine große Zahl von Brandbomben entdeckt und mit Erfolg entschärft werden.

In der Löwenbrauerei standen vor allem die für den Flaschentransport benutzten Strohhüllen in hellen Flammen. Die Großbäckerei Seidl brannte ab, weil die Hydranten nicht genügend Wasser lie-ferten. Gelobt wurde der Bereitschaftsdienst bei der Firma Bosch in der Seidlstraße. Zwei beson-ders tatkräftige Männer wurden für das Kriegsver-dienstkreuz mit Schwertern vorgeschlagen. Im Ho-tel Grünwald in der Nähe des Hauptbahnhofs löschten die Gäste, darunter wie ausdrücklich ver-merkt wird – ein Ritterkreuzträger, notgedrungen mit.

Wiederholt findet sich in den Berichten der Luft-schutzreviere der Hinweis darauf, daß sich unter der Bevölkerung Nervosität und Angst ausbreiten. Erwähnt werden auch die Verletzungen der Helfer. Quetschungen an Fingern und Händen waren nicht selten. Auffallend oft wird die Diagnose «Rauch-vergiftung» oder «Fremdkörper im Auge» gestellt. Folgen des wütenden Feuersturms.

Im «Völkischen Beobachter» vom 1. Mai 1944 sprach Gauleiter Giesler von der «großen Feuer-probe».

«Mit der in ihr erwiesenen Bewährung können wir uns mit unseren Münchner Tugenden stolz neben die Gesinnung jener deutschen Städte stellen, in deren Gesicht auch die Wunden des Luftkrieges ge-zeichnet sind ... Wir wollen gerade um der Opfer willen, die wir bringen, um so fester und fanati-scher an diesen glücklichen Ausgang dieses Welt-kampfes glauben.»

Der Gauleiter nahm es aber auch für sich in An-spruch, alles nur denkbare für den Schutz der Bür-ger unternommen zu haben.

Zu lange habe München wie Oberbayern über-haupt als eine Art Luftschutzkeller des Reiches ge-golten. Die Vorbereitungen für den Luftkrieg hät-ten, so hieß es jetzt, verhältnismäßig spät und zö-gernd eingesetzt.

Weiter meinte die Zeitung:

Der «Impuls des Gauleiters aber drängte vorwärts ... zog rücksichtslos zur Verantwortung, wenn eine Sünde wider die Sicherheit der Gemeinschaft fest-zustellen war. Den Organisationen wurden neue Aufgaben zugewiesen, die Partei in den Dienst des Luftschutzes gestellt. Aufklärungswellen zogen über die Bevölkerung, Ideen, die bisher im Reich noch nicht anzutreffen waren, fanden Verwirklichung. Nichts wurde verhüllt, die Gefahr fand ihre wahrheitsgetreue Darstellung.»

Nur wenige Wochen nach dieser Lobeshymne ging am 9. Juni 1944 vormittags erneut ein Bombenhagel auf München nieder. Diesmal waren es 1517 Sprengbomben, die aus amerikanischen Flugzeugen abgeworfen wurden. Vier Tage später wiederholte sich das schreckliche Schauspiel. Die «Münchner Neuesten Nachrichten» nahmen das zum Anlaß, nun neben der ständigen Hetze gegen die Juden auch noch den Rassenhaß zu schüren:

«Für dieses Vernichtungswerk haben die Nordamerikaner ... ihren Terrorgeschwadern auch Negerstaffeln zugeteilt, schwarze Piloten, deren Urhaß gegen die weiße Rasse und ihre Schöpfungen sich über den Zentren der abendländischen Kultur ungezügelt austoben kann. Die Mitteilung, die ausdrücklich Bezug nimmt auf den Einsatz der Negerstaffeln gegen München, bezeugt einen Grad sittlicher Verkommenheit, der in jedem selbstbewußten Europäer ein Gefühl tiefster Abscheu und in uns, die wir unmittelbar bedroht sind, einen ingrimmigen, kalten Haß erzeugen muß.»

Es häuften sich die Angriffe. Die Münchner kamen nicht mehr zur Ruhe. Am 14. Juli schrieben die «Münchner Neuesten Nachrichten»: «Unsere einst so schöne Stadt steht seit drei Tagen in der vordersten Kampflinie eines Krieges, wie ihn grausamer und gnadenloser nur wenige deutsche Städte durchstehen mußten. In schlagartiger Wiederholung hat der Feind innerhalb von 48 Stunden dreimal seinen Terrorarm gegen München ausgestreckt und dreimal mit all der infernalischen Zerstörungsgewalt, die sich in Sprengbomben und Phosphorzylindern verbirgt, seine Mörderfaust auf die Wohnviertel und noch erhaltenen Kunstschätze unserer Stadt niedersausen lassen.»

Magda Schramm, *Jahrgang 1902, erinnert sich:*
«März 1944 – ich war schwanger und wohnte in der Neuhauser Straße. Jeden Tag ging ich bei Alarm in den Bunker Hotterstraße. Während meiner Schwangerschaft war ich allein und hatte dabei noch mein Miederwarengeschäft. Am 10. März 1944 kam mein Sohn auf die Welt. Zwei Tage zuvor hatte ich noch einen Bombenschaden. Dann kam wieder Fliegeralarm, und ich merkte, daß es bei mir losging. Ich bekam mit Mühe noch ein Taxi und fuhr damit zur Klinik in die Frauenstraße. Täglich muß-

52 *Magda Schramm mit dem Sohn Karl-Rainer, der bei Alarm zur Welt kam.*

ten wir in den Keller der Frauenklinik. Wir saßen ängstlich unter großen Heißwasserröhren. Einmal wurde die Tür durch Bomben eingeschlagen. Die Kinder lagen in Körbchen und waren übereinander gestapelt.

Es war immer Alarm – auch während der Entbindung. Was die Schwestern geleistet haben, war enorm.

Im April 1944 war ich wieder in meiner Wohnung mit meinem Baby. Meine Tochter war in Dachau bei Bekannten, mein Sohn im Feld. Es kam Alarm. Ich nahm mein Kind und raste in die Hotterstraße. Da krachte es. Ich dachte, es ist zu Ende. Ein Polizeibeamter kam und sagte, ich sollte mit auf die Polizei kommen, da ich nicht hierbleiben könnte. In der nächsten Stunde sei ein Phosphorangriff angekündigt. Auf der Dienststelle ist eine Wand zusammengestürzt. Sie brachten mich mit dem Kind in den

Keller. Ich hatte einen Metzger beim Waldfriedhof. Dort wollte ich hin. Meine Geschwister und meinen Vater konnte ich nicht erreichen.

Ein Soldat auf der Straße wollte mir mein Kind wegnehmen, um es zu retten. Das Kind war mäuschenstill und rührte sich nicht. Ich traute mich nicht, in die Wolldecke zu schauen, weil ich dachte, der Junge ist tot. In der Sendlinger Straße brannte ein Farbengeschäft aus. Ein Sanitätsauto kam und nahm mich nach großem Bitten mit. Ich fand den Metzger, der mich mit in seine Wohnung nahm.

53 *Patienten-Ausweis – der während der Angriffe den Patienten umgehängt wurde, wenn sie in den Keller gebracht wurden.*

I. Univ.-Frauenklinik
nchen 15 - Maistraße 11 - Telefon 55212

Patienten-Ausweis

tschutzraum:

niv.-Frauenklinik. München 15, Maistr. 11, Telefon 55212

54 *Als EILNACHRICHT das für alle so wichtige LEBENSZEICHEN – wie hier von der Familie Schramm an die Angehörigen. «Wir sind alle gesund».*

Als Entschädigung für meine zerbombte Wohnung und mein Geschäft bekam ich eintausend Mark nach der Währungsreform. Mir wurde gesagt: ‹Sie haben ja wieder ein Geschäft, was wollen Sie mehr?›»

Botschafter Ulrich von Hassell, der im Zusammenhang mit dem Attentat auf Hitler vom 20. Juli 1944 wenige Tage später verhaftet wurde, notiert als letzten Eintrag am 13. Juli in Ebenhausen in seinem Tagebuch: «Mittags erneuter Luftangriff. Sehr ungemütlich im Keller, infolge zahlreicher zum Teil tieffliegender Wellen. Ein Flugzeug wurde nicht weit von uns abgeschossen, der Absturz klang unheimlich, wir waren in großer Sorge um Tochter Almuth, zumal die Bahn von Ebenhausen nur bis Grünwald ging. Gottlob kam sie gesund, aber angegriffen und tief beeindruckt von fürchterlicher Fahrt durch die brennenden Straßen zu Rad zurück. In der Gegend des Bavariarings kein Durchkommen durch Brände, Trümmer und Gewirr der Leitungsdrähte. Der schwerste bisherige Tagesangriff auf München. Mehrere Kasernen, ein Waisenhaus, Kinderhorte usw. mit trostlosen Verlusten betroffen. Heute morgen um halb zehn wieder Angriff ... Keine Post, keine Zeitung, kein Telephon.»

Rar wurde auch das Trinkwasser. Die Besitzer privater Wohnungen wurden amtlich aufgefordert, «die Wasserabgabe an die Bevölkerung sofort durchzuführen. Die Abgabestellen sind durch Hinweisschilder zu kennzeichnen. Das Wasser ist nach Möglichkeit vor dem Genuß abzukochen».

55 *Hier wurden einst Veterinär-Mediziner ausgebildet.*

Vermißtenanzeigen wurden aufgegeben. Bei einem Angriff am 19. Juli wurden sogar Eisenbahnwaggons vom Starnberger Bahnhof auf die Straße geschleudert.

Wilhelm Hausenstein glaubte damals, daß München für lange Zeit keine große Rolle mehr spielen würde. Er notiert am 12. August 1944: «Nach Wochen zum ersten Mal wieder in München gewesen. Die Stadt ist zum größten Teil zerstört: in ihren Wohnhäusern, in ihrer monumentalen Gestalt. Der Eindruck ist grausig. Ich kann mir nicht denken, wie München je wieder zur Repräsentation dessen, was es gewesen ist, wiederhergestellt werden soll. Allein schon das Aufräumen, das Abtragen! Wird man wesentliche Ruinen stehen lassen und anderwärts, außerhalb Neues bauen? Wird man? Und wann? Werden Generationen zwischen, neben Trümmern leben?»

Die Leiterin des Universitätsarchivs Laetitia Boehm berichtet, wie es damals in der Universität aussah:

«Die Bombenangriffe auf München im Sommer 1944 hatten vier Fünftel des Universitätshauptgebäudes und die über die Stadt verstreuten Institute und Kliniken teils bis zu 80 Prozent zerstört. Völlig vernichtet waren die beiden zum ältesten Universitäts-Bestand gehörigen Gebäude der Alten Anatomie in der Schillerstraße sowie der Alten Akademie (Wilhelminum), die noch naturwissenschaftliche Institute und Sammlungen beherbergt hatte. Nahezu eingeebnet waren die Zahnklinik und das Hygienische Institut, das einst für Pettenkofer errichtet worden war, – jahrelang mußte der Lehrbetrieb sich mit Behelfsbaracken begnügen. Und in Trümmern standen u. a. die Chemischen Institute an der Sophien-, Arcis- und Karl-Straße.

Im September 1944 hatten reichsministerielle Erlasse und ‹Schnellbriefe› den totalen Kriegseinsatz der Studierenden sowie erhebliche Einschränkungen des Lehrbetriebs der deutschen Hochschulen verfügt. Die Münchner Universität meldete laut einer Aufstellung vom 21. September aus einer Gesamtzahl von 3965 Studierenden zum Kriegseinsatz 1586 (davon 1292 weiblich, 294 männlich); den nichtmeldepflichtigen Rest bildeten hauptsächlich Wehrmachtsangehörige und Versehrte. Bei Kriegsende gab es noch ganze 12 Hörsäle.»

Zerstört aber wurden nicht nur die zum Teil weit bekannten Kulturdenkmäler. Auch Firmen von

Weltruf wurden schwer getroffen. Englische und amerikanische Bomben fielen auf die BMW-Werke auf dem Oberwiesenfeld in Allach.

Was noch stehengeblieben war, sollte dann laut Führerbefehl «Verbrannte Erde» von den Deutschen selbst in die Luft gejagt werden. Glücklicherweise gelang es dem Leiter der Versuchsabteilung im BMW-Motorenbau und Abwehrbeauftragten Dr. Ammann, Gauleiter Giesler die bereits angeordnete Vernichtung auszureden.

Allein im November wurde München siebenmal angegriffen. Für den 22. November meldete der «Völkische Beobachter»: «Feindliche Kampfverbände griffen bei starker Bewölkung aus südlicher Richtung kommend in den Mittagsstunden erneut die Stadt an. Der Feind warf wahllos Spreng- und Brandbomben in dicht besiedelte Wohnviertel, wobei er starke Zerstörungen verursachte. Die weltbekannte Münchner Frauenkirche wurde durch einen Volltreffer in der Apsis schwer beschädigt, die St. Michaels-Hofkirche, eine der wertvollsten Renaissancekirchen Deutschlands, durch Sprengbomben total geschädigt.»

Die «Münchner Neuesten Nachrichten» brachten am 27. November 1944 sozusagen einen Nachruf auf die Michaelskirche, «die von jeher ein besonderer Stolz der kunstverständigen Münchner gewesen sei ... Ihr Tonnengewölbe, das nun in Trümmern liegt, spannte sich frei über zwanzig Meter ... Nur die Peterskirche in Rom hat eine Spannweite, die noch um sechs Meter größer ist.»

Maria Schneider war Rot-Kreuz-Schwester:
«Richtig los ging es 1940. Einzelne Bomben fielen nach dem Attentat im Bürgerbräukeller. Nachdem ich als Schwesternhelferin ausgebildet worden war, wurde ich im Haus als Hauswart eingesetzt. Ich mußte den Keller als Luftschutzkeller einrichten. Der war gar nichts wert. Wir hatten keine Trennwände, keine feste Wand, nichts. Dann bekam ich von meiner Bezirksgruppe des Roten Kreuzes im Münchner Osten mitgeteilt: «Sie werden mit sofortiger Wirkung am Bunker im Bürgerbräukeller eingesetzt.» Ich kriege Voralarm. Manchmal kam der Voralarm so spät, daß schon Leuchtkugeln fielen. Also keine Christbäume, die später eingesetzt wurden, sondern Leuchtkugeln. Und die sind hauptsächlich auf den Bürgerbräukeller gefallen. Wir hatten riesige Räume, die früher als Bierkeller genutzt worden waren. Wenn Bomben fielen, brachten wir

56 *Maria Schneider als Rot-Kreuz-Schwester, in der Mitte zwischen zwei Soldaten.*

die Verletzten hinein und versorgten sie. Ein Arzt war auch dabei. Zum Teil mußten sie in Krankenhäuser gebracht werden, wenn sie schwer verletzt waren.

In einer der schlimmsten Bombennächte, die ich miterlebt habe, hieß es: «Sofort raus.» Im Osten war Großalarm. Die Kellerstraße brannte, die Steinstraße, die Rosenheimer Straße, die Metzstraße – das war alles ein Flammenmeer. Dort waren Phosphorbomben gefallen. Wir mußten mit dem Arzt hinauslaufen. Er sagte: «Sofort raus, es gibt nichts mehr jetzt, und wenn es unser Tod ist. Wir haben so viele Verletzte.» Wenn wir irgendwo hingelaufen sind, haben uns die Schuhe gebrannt, die Kleider, alles. Aber wir mußten den Leuten helfen. Wir waren am Schluß so weit, daß wir nicht mehr weiter konnten. Wir haben uns hingestellt und mit den Leuten geheult.

Dann hab ich Order gekriegt, zum Ostbahnhof rauszufahren. Da war der schwere Angriff in der Friedensstraße auf den Rangierbahnhof gewesen. Züge standen dort mit Verwundeten, Soldaten, Pferden. Der Schwereinsatz bedeutete für mich: Ich mußte an die Häuser heran. Sie waren zum großen

Teil zusammengefallen. Die Männer haben mit Schaufeln und Pickeln Löcher geschlagen, damit wir die Leute herausziehen konnten. Wir Schwestern haben sie mit der Bahre in eine Nothalle gebracht, die zwischenzeitlich am Orleansplatz war. Es war die Vorhalle vom Ostbahnhof. Dort haben wir die Leute, so gut es ging, verbunden und ins Krankenhaus gebracht.

Einmal haben wir Voralarm bekommen und mußten zum Bürgerbräukeller. Wie ich wieder zurück wollte, kam ich nicht mehr raus. Ich lief später nach Hause. Und wie ich ans Haus kam, sah ich, daß alles ein Scherbenhaufen war und lichterloh brannte. Ich war dann nervlich so kaputt, daß ich mich auf den Trümmerhaufen stellte und gottsjämmerlich gelacht habe.

Eines meiner schwersten Erlebnisse hatte ich in einem Keller in der Orleansstraße. In dem Keller waren sechs oder sieben kleine Kinder. Sie schrien nach ihrer Mutter, die gerade angefangen hatte zu entbinden. Auf der Tragbahre, auf der wir sie zum Ostbahnhof trugen, haben wir entbunden mit der Frau. Sie hat bitterlich geweint: «Wenn das Kind bloß normal wird.» Durch den Schreck der Bombardierung hatte sie ihr Kind zu früh geboren.

Zusätzlich zum Ostbahnhof mußte ich, wenn ich nicht gerade im Einsatz war, im Krankenhaus rechts der Isar aushelfen. Wir legten die Frischoperierten gleich in den Keller. Sie durften nicht nach oben gebracht werden. Und die Patienten, die oben waren, mußten bei Alarm sofort in den Keller. Wer einigermaßen transportfähig war, wurde dann in verschiedene Ausweichkrankenhäuser gebracht. Da mußten wir zwischen den Bombenangriffen schnell wieder mit einem Wagen mit fünfunddreißig oder vierzig Mann in ein Ausweichkrankenhaus fahren.

Ich wurde bei einem Einsatz verletzt, als das Treppenhaus zusammenbrach. Phosphor tropfte mir auf den Kopf. Vorsichtshalber hatte ich ein Tuch umgebunden. Als ich es abband, waren meine Haare verbrannt.

Mit diesem Ausmaß des Krieges habe ich nicht gerechnet. Ich war verzweifelt. Ich habe mir gesagt: ‹Das kann doch zu keinem Ende führen, wir haben keine Städte, wir haben doch nichts mehr. Alles ist ausgebombt. Wir haben keine Wohnungen. Viele unserer Kinder sind Krüppel.› Am liebsten wäre ich nicht mehr da gewesen. Wenn ich all das Leid gesehen habe am Bahnhof, im Krankenhaus, auf der

57 Das Städtische Waisenhaus ist getroffen worden.

58 Die total ausgebrannte Heiliggeistkirche. ▷

59 *Der zerstörte Seiteneingang der «Al-*
    ten Pinakothek» – von einem hohen
    Schutthaufen aus fotografiert.

80

60 *Zerstörte Teile des Hauptbahnhofes – mit gesäuberten und aufgeschichteten Ziegelsteinen –: um wieder aufzubauen.*

61 *München 1945 – vom Färbergraben aus auf die Frauenkirche gesehen.*

Straße, habe ich oft zu mir gesagt: ‹Wenn ich doch mit bei den Bomben draufgehen könnte.›
Ich hatte Hunger, so Hunger, daß ich es nicht beschreiben kann. Da bin ich auf so eine Gulaschkanone zugegangen und habe gebeten, ob ich nicht ein bißchen was zu essen kriege. Ich habe nichts gekriegt, weil ich kein Töpferl gehabt habe. Ich habe mich am Straßenrand hingesetzt und geweint.»

Während München in Schutt und Asche gesunken war, kündigte sich im Osten Deutschlands eine weitere Tragödie an, die Flucht und Vertreibung von etwa vierzehn Millionen Menschen. Natürlich befanden sich unter ihnen auch viele, die zu ihren Verwandten oder Freunden nach München strebten. Auch Münchner, die vor dem Bombenkrieg in dem von Fliegerangriffen weitgehend verschonten Osten Zuflucht gefunden hatten, kamen nach Bayern zurück. Der «Völkische Beobachter» – Münchner Ausgabe – vom 18. Dezember 1944 erschien mit der Schlagzeile: «Das verkündet Churchill als Kriegsziel gegen Deutschland: Massenmord und Vertreibung von Millionen Deutschen.»
Am gleichen Tag hielt Gauleiter Giesler bei der Totenfeier für die Opfer der Angriffe vom 25., 27. und 30. November 1944 sowie des 3. und 4. Dezember nach den Klängen des Trauermarsches aus der As-Dur-Sonate von Beethoven wieder eine seiner Durchhaltereden: «Der Tag ist sicherlich nicht mehr ferne, an dem wir die Not, die bisher unsere Gefährtin war, abschütteln und das Glück wieder an unsere Seite zwingen!»
Ebenfalls an diesem Tage mußte die Zeitung wieder Kämpfe im Raum Aachen melden. Die Alliierten hatten die Reichsgrenze auch im Westen erreicht und bereits überschritten. Aachen selbst war schon am 21. Oktober 1944 von der 9. US-Armee eingenommen worden. Auch ein Blick auf die Todesanzeigen zeigt, wie verheerend die Situation inzwischen überall geworden war. Einzelanzeigen wurden nicht mehr angenommen. Unter der Schlagzeile «Für Führer, Volk und Reich starben den Heldentod» las man immer länger werdende Namenlisten.
In diesem Jahr fielen auch einige Bomben auf den Ort Dachau. Es handelte sich wohl um Fehlabwürfe. Das Konzentrationslager, in dem sich um diese Zeit zwischen dreißig- und vierzigtausend

62 Blick von der Sonnenstraße, in der Nähe des Stachus – eine Trümmerwüste.

63 Das zerstörte Prinz-Carl-Palais.

Häftlinge befanden, wurde bei allen Luftangriffen auf München bewußt verschont. Einige Male markierten die anfliegenden Maschinen das Lager durch Leuchtraketen. Während damit im allgemeinen das Zielgebiet abgesteckt wurde, hieß das in diesem Fall: Hier keine Bomben abwerfen. Eine Bombe traf eine Verwaltungsstelle der SS auf dem Lagergelände.

Adolf Maislinger. *Jahrgang 1903 – war Häftling des Konzentrationslagers Dachau:*
Wir sahen die Flugzeuge wie Silberfische über uns hinwegsausen. Wir sind hilflos dagestanden. Wir hatten keinen Keller und keinen Schutz. Bei einer Bombardierung wären wir verloren gewesen. Das Lager wurde also nicht bombardiert, aber die Kommandantur und SS-Baracken. Da hat es ungefähr dreißig Tote gegeben.
Wir wußten mittlerweile, daß uns nichts passieren konnte. Einmal sahen wir, daß in Allach – es war Winter – Flugzeuge das Lager mit Phosphor-Lichtern hell absteckten. Es war taghell.
Ich war Arbeiter, Mitglied der Gewerkschaft, in der SPD – später in der KPD – und arbeitete im organisierten Widerstand. 1934 wurde ich verhaftet, 1935 vom Volksgerichtshof in Berlin zu acht Jahren Zuchthaus verurteilt. In dem Augenblick, in dem ich in den Widerstand ging, wußte ich, es geht um Kopf und Kragen. Ich war zwar hilflos, aber kein Opfer.
Ich kam zunächst nach Straubing, dann in das Zuchthaus Amberg. Im September 1942 wurde ich nach acht Jahren entlassen und nach München transportiert. Ich wußte, ich komme entweder in das KZ Dachau oder Buchenwald. In München erlebte ich die Bombardierung im Polizeipräsidium. Für uns war das was Neues. Wir rannten alle in den Keller. Wir kannten noch nicht die Gefahr, die Stimmung war gedrückt. Wir hörten, daß die Stadt brennt.
Ich kam ins KZ Dachau. Eine Order des Reichswirtschaftsamtes war, daß Häftlinge, die Facharbeiter waren, erhalten werden müssen. Durch die Solidarität unter den Häftlingen in Dachau konnte ich überleben.

In München waren seit Anfang September alle Theater geschlossen. Eingeführt worden war die Sechzig-Stunden-Woche. Urlaub gab es nicht mehr. Am 2. September wurden alle Reichsmeisterschaften im Sport eingestellt. Beim «Turn- und Sportverein München von 1860» gingen im Bombenkrieg alle Aufzeichnungen über sportliche Veranstaltungen zwischen 1941 und 1944 verloren. In der 1960 herausgegebenen Festschrift heißt es: «Wir wissen aus den Schilderungen der Zeitgenossen, daß auch in den Jahren dieses gnadenlosen Krieges die Fahne von 1860 hochgehalten wurde. Sogar der alte, schon fast legendäre Heinrich Zisch schaltete sich wieder ein. Auf Willi Scholl lag die Hauptlast der Verantwortung bis 1946, nachdem Dr. Emil Ketterer zu «kriegswichtigen» Aufgaben herangezogen wurde. Der Deutsche Pokalsieg 1942 unserer Fußballmannschaft darf hier nicht unerwähnt bleiben.

In einem gedruckten Feldpostbrief aus dem Jahre 1943 für unsere Kameraden an der Front stehen ergreifende Worte über die gefallenen Kameraden, da stehen ferner Auszüge aus Feldpostbriefen unserer Freunde, die auch in den schlimmsten Bedrängnissen nicht vergessen haben, daß es in der Heimat immer noch eine menschliche Gemeinschaft der Gleichgesinnten bei 1860 gab. Grüße mit Geldspenden kamen von allen Fronten an alle unsere Abteilungen, ein herzbewegendes Bild der Anhänglichkeit. Die in der Heimat verbliebenen Alten wahrten getreu das Erbe der Väter, auf daß es die Jungen nach dem Kriege wieder weiterführen sollten. Da lesen wir, daß im Mai 1943 Dr. Hans Haggenmüller sen., der getreue Mentor so vieler Jahrzehnte, heimgegangen war. Da vernehmen wir aus der Hauptversammlung, daß Emil Ketterer trotz seiner anderweitigen Belastungen auch weiterhin die Vereinsführung auf sich genommen hat, unterstützt von Willi Scholl; daß unsere Fußball-Elf die Gaumeisterschaft gewann, daß die Skiabteilung Erfolge, die Faustkampfabteilung von regem Betrieb meldete, die Leichtathletikabteilung auch im Kriege nicht ruhte und in der DVM die bisher nicht erreichte Punktzahl von 19402,97 schaffte.

«Der Betrieb geht kriegsmäßig weiter; und wir erwarten den Tag, an dem wir alle unsere Kameraden wieder bei uns sehen», heißt es am Schluß dieses von Freund Grundner redigierten Feldpostbriefes.

Der Rest war Schweigen. Denn nun hatte der Krieg die Heimat mit einer Gewalt erreicht, die wir uns heute schon fast nicht mehr vorstellen können. Die katastrophale Ernährungslage ließ auch den Daheimgebliebenen wenig Freude am Sport. Am

14. Juli 1944, als bei einem Großangriff auf München die Bomber in sieben Wellen über die leidgeprüfte Stadt brausten, kam auch das Ende unseres stolzen Heims an der Auenstraße. Willi Scholl, der Fußballer Huber, der Humorist Karl Steinacker, der uns schon viele schöne Stunden beschert hatte, und das Ehepaar Pfab waren im Keller des lichterloh brennenden Hauses. Unser einst so schönes Heim war eine rauchende Trümmerstätte nach diesem massierten Angriff. Robert Werner wurde ein Opfer des Bombenkrieges.

Am 25. September wurden alle waffenfähigen Männer zwischen 16 und 60 Jahren zum Deutschen Volkssturm aufgerufen. Aufbau und Leitung wurden den Gauleitern, also der Partei, übertragen. Die Volkssturmmänner hatten meist weder eine entsprechende Ausbildung noch Ausrüstung.

In München wurden zu dieser Zeit auch Knochensammlungen durchgeführt. Für fünf Kilogramm Knochen gab es ein Stück Seife.

Alfred Price hat in seinem Buch «Luftschlacht über Deutschland» die damalige Situation in wenigen Sätzen treffend umrissen: «Die Schlagkraft der in der Reichsverteidigung eingesetzten Jagdfliegerwaffe war während des Zeitraums Mai bis September 1944 weiterhin stetig zurückgegangen. Hierbei hatte die Tagjagd einschneidende Verluste an erfahrenen Besatzungen hinnehmen müssen, für die infolge der wegen Betriebsstoffmangel unterbrochenen Pilotenausbildung kaum mehr Ersatz zugeführt werden konnte. Ferner kam hinzu, daß die Amerikaner jetzt sehr viel mehr Jäger über dem Reichsgebiet einzusetzen vermochten, die technisch besser waren und deren Piloten über eine weitaus gründlichere Ausbildung verfügten als die der Luftwaffe. Außerdem hatte die Eroberung weiter Teile Frankreichs und Belgiens durch alliierte Landstreitkräfte ein großes Loch in die deutsche Radar-Frühwarnkette gerissen.»

Eine Woche vor Weihnachten gab es noch einen großen Bombenangriff in diesem vorletzten Kriegsjahr. Kein Wunder, daß die Zeitungen auch über die Feiertage ihre Leser zu peinlichem Beobachten aller Schutzmaßnahmen auffordern mußten. Der Ortsgruppe wurde im Bombenterror eine wichtige Aufgabe zugeordnet. Sie sei, so hieß es, «Erhalter deutschen Lebenswillens und deutscher Lebenskraft». Der Gauleiter und seine Helfer wurden als Vorbilder hingestellt und warnend hieß es am Schluß: «Tust Du mehr als einer dieser Män-

ner? Nur wenn Du ehrlich ‹ja› sagen kannst, magst Du an ihnen und an den Leistungen Deiner Partei Kritik üben!»

Der Erzbischof von München und Freising, Kardinal Faulhaber, hatte erstmals im Stadtinnern keine Kirche für seine Silvesterpredigt. Der von den Nazis nach Ettal verbannte Pater Rupert Mayer schrieb: «Alt-München ist nunmehr ein großes Trümmerfeld. Wie viele Menschen, die ich seit Jahren gut kenne, haben alles verloren, und manche sind getötet worden. Da gibt es viel zu beten und zu opfern für die arme, zerrüttete Menschheit. Daß ich sonst nichts tun kann, ist für meine Aktivität sehr schwer.»

64 *Die zerstörte Frauenkirche – wem nützte die Zerstörung von Kirchen?*   ▷

Augenzeuge Heinz Hanß

«Zwei Tage vor Kriegsende – am 6. Mai 1945 – wurde ich fünfzehn Jahre. Am 8. Mai war dann der Krieg zu Ende. 1944 war ich beim Jungvolk und ging dann zur Hitler-Jugend (HJ). Ich war erst in der Oberschule – die vom Jahrgang 1928 waren damals schon Flakhelfer. Ich wurde von der Ortsgruppe als Melder eingeteilt und wohnte am Martinsplatz. Wir mußten Bombeneinschläge und Brände dem Ortsgruppenleiter melden – und zwar auch während der Angriffe.

1944 waren die ganz schweren Angriffe, wo Brand- und Phosphorbomben fielen und die Straßen brannten. Nach diesen Angriffen wurden wir zum Freischaufeln von Menschen und Hausrat eingesetzt. Ich erlebte im Juli 1944 den dreitägigen Angriff. Da war ich gerade in der Schule, es gab Zeugnisse. Meine Schule war am Regerplatz, an der oberen Au zwischen Giesing und Haidhausen. Es wurde immer drauf gesehen, daß wir schnellstens nach Hause kamen, um dann dort eingesetzt werden zu können.

Flugzeugalarm war – wir kamen nicht mehr nach Hause. Die ersten Angriffswellen erlebte ich hinter der Friedhofsmauer am Ostfriedhof. Als ich nach Hause kam, waren inzwischen Luftminen gefallen.

65 Heinz Hanß – auf dem Foto zweiter von links

Unser Haus stand noch und war leicht ramponiert. Es hatte keine Fenster und Fensterstöcke mehr. Der Lüster hing im Klavier. Meine Mutter war im Keller. Vater war Soldat.

Wir mußten ausrücken und für alte Leute sorgen, die ausgebombt waren und ihre Habe ausgraben. Bei Nacht wurde allerhand gestohlen, obwohl auf Diebstahl die Todesstrafe stand. Eingesetzt wurden Jugendliche, Frauen und alte Männer. Wir gruben die Toten aus. Soweit es Särge gab, wurden die Leichen hineingelegt, die anderen kamen in Papiertüten. In meiner Wohngegend wurden die Toten gleich auf den Ostfriedhof geschafft. Wir Hitlerjungen mußten dort Spalier stehen. Im Münchner Nordfriedhof wurde ein Ehrenhain für die Bombenopfer gegraben.

Hinter dem Ostfriedhof verlief die Bahnlinie München–Rosenheim. Sie war auch Ziel der ständigen Bombenangriffe, und deswegen fielen auch Bomben und Luftminen auf den Ostfriedhof.

Im Herbst 1944 kam ich in ein Kinderlandverschickungsheim bzw. -lager in der Nähe von Bad Reichenhall – Bayerisch Gmain zur Wehrertüchtigung, weil die Schulen in München geschlossen worden waren. Hier fielen kurz vor dem Kriegsende auch Bomben – da in der Nähe Hitlers Residenz war – auf Berchtesgaden und den Obersalzberg.

Die Front rückte immer näher. Wir konnten nicht weg. Es hieß, wer aus dem Lager ginge, würde sein Leben lang an keiner deutschen Oberschule mehr aufgenommen werden. Wir lernten Exerzieren, die Handhabung von Maschinenpistolen, sowie das Schaufeln von Schützengräben. Als Flüchtlinge aus dem Westen Deutschlands kamen, hörten wir, daß dort Jugendliche in Uniformen gesteckt und zur Verteidigung herangezogen würden. Da bin ich getürmt. Ich habe schon Angst gehabt, denn wenn man mich aufgegriffen hätte, wäre ich erschossen worden. Ich war zwar noch nicht Soldat, aber wir wurden angehalten, daß wir uns als Kriegsfreiwillige melden sollten. Es ging drunter und drüber.

In den letzten Apriltagen kam ich in München an. Ich ließ mich wenig sehen, denn es gab ja genügend Leute, die noch an den Endsieg glaubten. So bestand auch ein Fanatiker darauf, daß ich zum Volkssturm kam. Wir mußten ausrücken – aber richtig bewaffnet hat man uns nicht mehr. Es lagen Panzerfäuste und Maschinenpistolen bereit. Aber wir mußten erst einmal Barrikaden am Nockherberg errich-

67 *Heinz Hanß hat am Kriegsleistungswettkampf mit Er-*
folg teilgenommen – dafür erhält er das Zeugnis vom
Juli 1943.

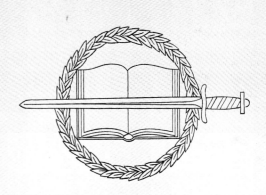

DER SCHÜLER

Hanß Heinz

HAT AM KRIEGSLEISTUNGSWETTKAMPF 1943

MIT ERFOLG TEILGENOMMEN

ER STEHT MIT EINEM NOTENDURCHSCHNITT

VON 2,00 UNTER DEN 37 SCHÜLERN SEINER

KLASSE AN DER 1. STELLE

München, im Juli 1943   DER DIREKTOR

N/0107

ten. Im Salvatorkeller, am Nockherberg, war die
Befehlsstelle des Gauleiters Gießler. Wir stellten
alte, ausgebrannte Straßenbahnwagen quer über die
Straße. Die anrückenden Amerikaner waren bereits
in Freising. Kinder und Greise trieb man zusammen.
Am Ostfriedhof habe ich mich in dem Getümmel
verdünnisiert und gewartet, bis es Nacht wurde, um
zu meinen Großeltern zu laufen. Am nächsten Tag
waren die Amerikaner in München.»

66 «*Das letzte Aufgebot*» *schickt Hitler in den Krieg –*
16–60jährige werden «ausgebildet» und amerikani-
schen Panzern entgegengeschickt. Sie und alle Män-
ner des Volkssturms sollen den Krieg gewinnen.

68 *1947. Von Benedikt Gruber mit* ▷
Feder und Tusche gezeichnet:
Blick vom «Bernheimer Haus»
am Lenbachplatz auf die Maxburg
und den Dom.

89

8. Amtszeiten des Bestattungsamtes verlängert – 1945

Von Januar bis April 1945 gab es in München 706mal Fliegeralarm. 31mal wurde die Stadt aus der Luft angegriffen. Die inzwischen zermürbte Bevölkerung rettete sich in sarkastischen Humor. Man zitierte Karl Valentin, der einmal – als die Bomber nicht zur gewohnten Stunde erschienen – grimmig bemerkte: «Es wird ihnen doch nichts zugestoßen sein?»

Der bekannte Münchner Journalist Karl Ude war damals «Soldat in der verdunkelten Stadt». Er notierte: «Fast allabendlich Ärger mit den parteihörigen Funktionären des Luftschutzes, die, obwohl in diesem Krieg sonst nichts vollkommen klappte, stur und schikanös auf immerhin einer Perfektion beharrten: auf der Verdunklung und nicht müde wurden, selbst des mildesten Lichtscheins wegen, der hinter einem Fensterspalt wahrzunehmen war, ein anklägerisches Gezänk vom Zaune zu brechen.»

Auf den Straßen, die aus der Stadt hinausführten, ging es bei Kälte und Schneetreiben manchmal nicht anders zu als zur gleichen Zeit im Osten. Auf Schlitten und Karren zogen die Ausgebombten ihre letzte Habe hinter sich her, suchten sie ein warmes Plätzchen bei Freunden oder Verwandten auf dem Land. Wer dort niemand hatte, wurde von der Polizei in ein Notquartier eingewiesen.

Die «Münchner Neuesten Nachrichten» bestanden am 9. Januar 1945 nur noch aus einem einzigen Blatt. Berichtet wurde von der Zerstörung der Theatinerkirche. Lapidar hieß es dann wieder: «Die Bevölkerung hatte Verluste.» Während nun eigentlich jedermann die kommende Katastrophe

hätte vor Augen sehen müssen, ließ sich der Reichsmarschall und Oberbefehlshaber der Luftwaffe Göring neue Auszeichnungen einfallen, um seine Flieger zu weiterer Höchstleistungen anzuspornen. So verfügte er am 8. Januar 1945: «daß künftig die Soldaten der deutschen Luftwaffe, die sich vor dem Feinde durch besondere Tapferkeit ausgezeichnet haben, in dem neugeschaffenen ‹Ehrenblatt der deutschen Luftwaffe› namentlich genannt werden.»

Um den Widerstandswillen der Bevölkerung zu stärken, schrieben die Zeitungen weiter über die Pläne der Alliierten, das Deutsche Reich nach der bedingungslosen Kapitulation aufzuteilen. «Nun auch Bayern», hieß es in den «Münchner Neuesten Nachrichten» am 9. Januar. Mit Einschluß Münchens sei Bayern in die Zerstückelungspläne der Pariser Ostpolitik aufgenommen worden. Es solle vom Reich abgetrennt werden.

«Das neuerlich phantasielose und geschichtswidrige Aufgreifen partikularistischer Spielereien der alten Kabinettspolitik beweist somit nur die allmählich absurd anmutende Verknöcherung der alten Haßpolitiker in längst historisch gewordenen Vorstellungen», meinte der Berichterstatter weiter.

Zwischen allen bedrückenden Meldungen wurde jedoch versucht, an die positiven Seiten des Lebens zu erinnern. «Schweiz senkt Biersteuer» hieß es da, oder «gute deutsche Zigarre» mit Berichten von einer guten Tabakernte im vergangenen Herbst. Versprochen wurde den Münchnern eine einmalige Sonderzuteilung von je zehn Zigaretten oder die entsprechende Menge anderer Tabakwaren. Frauen waren in diesem Falle gleichberechtigt.

«München als ewiges Besitztum», war ein Aufsatz von Eugen Roth überschrieben, in dem er der Stadt ein zusätzliches literarisches Denkmal setzte. Er erinnerte an die Zerstörung des Hauses seiner Eltern an der Isar im vergangenen Jahr. Dann hieß

◁ 69 *1947. Von Benedikt Gruber mit Feder und Tusche gezeichnet: Peterskirche und altes Rathaus, links Heiliggeistkirche.*

70 *Theatinerkirche*
«nur leicht» bes
digt – rechts die
Feldherrnhalle.

es weiter: «Beim ersten Angriff des neuen Jahres ist meine eigene Wohnung, die halbgetroffen, ein paar hundert Schritte flußabwärts unterm Dach hing, in lodernden Flammen und sprühenden Funken verbrannt, und ich bin wohl nie in grimmigerer Andacht vor einem Feuer gestanden, als vor diesem, daß mir zugleich mit dem Grabe meiner Habe die Schändung der geliebten Stadt bedeuten mußte... Es wird trotzdem auch künftig eine Stadt geben, die nicht nur München heißt, sondern auch München ist ... Nicht immer wird der Gott der Zeit aus so düsteren Wolken auf uns blicken, die Gewalt des Bösen in der Welt wird wieder gebrochen werden und das sanftere Gesetz eines, wie wir zuversichtlich hoffen, glücklicheren Friedens wird auch die Gemüter wieder heiterer werden lassen.»

Vor und nach vielen Angriffen flatterten zu Tausenden Flugblätter auf die Stadt herab, die umgehend eingesammelt und abgegeben werden mußten. Der Besitz eines solchen Papiers konnte mit dem Tode bestraft werden. Wer die stereotypen Rundfunkmeldungen «Hier spricht die Befehlsstelle des Gauleiters. Feindliche Verbände haben im Anflug von Süden die Reichsgrenze überflogen ...» im Ohr hatte, die übrigen Rundfunknachrichten richtig zu analysieren verstand und vielleicht auch durch die britische Radiostation BBC informiert war, wußte, daß der Text der Flugblätter nicht erlogen war:

SIE KOMMEN
mit ihren Stahlkolossen, Jabos und Flammenwerfern
SIE KOMMEN
denn jetzt kann nichts und niemand mehr sie halten
SIE KOMMEN
denn jetzt liegen auch Nord- und Mitteldeutschland offen vor den Anglo-Amerikanern und Russen. Der größte Betrug der Weltgeschichte ist bald vorbei.
Wo blieben die deutschen Wunderwaffen?
Wo blieben die operativen Reserven?
Wo blieben die Parteigenossen und Hoheitsträger, die immer zum fanatischen Widerstand aufgerufen haben?
Die Alliierten Armeen nehmen Deutschland im Sturm.
SIE KOMMEN
um den deutschen Militarismus endgültig auszurotten.

71 *Am St.-Anna-Platz werden Kartoffeln verteilt.*

72 April 1945: Schlangeste-
hen ums tägliche Brot

73 Das zerstörte Siegestor –
von der Leopoldstraße aus
gesehen – mit Durchblick
auf die Ludwigstraße

SIE KOMMEN
um die Kriegsverbrecher ihrer Strafe zuzuführen.
SIE KOMMEN
um den Rechtsstaat aufzurichten damit der Weltfrieden nicht noch einmal gestört wird.
Seit dem 17. April waren fast täglich Flugzeuge über der Stadt. An Hitlers letztem Geburtstag, dem 20. April, kam es gleich zu vier Angriffen. In der zur Trümmerlandschaft gewordenen Stadt gab es kaum noch Strom und Gas. Die innerhalb der Stadt eingesetzte Kleinbahn auf Schmalspurgleisen, auch «Bockerlsbahn» oder «Rasender Gauleiter» genannt, fand kaum noch einen Weg. Man hatte Mühe, die Verletzten und Toten zu bergen.

74 Überlebens-«Richtlinien», als das Ende bevorstand.

Richtlinien für das Leben unter einfachsten Verhältnissen

An die
Leiter der Gauämter
für Volksgesundheit der NSDAP
Berlin, den 5. April 1945

Die zur Zeit zur Verfügung stehenden Nahrungsmittelrationen liegen im Reichsgebiet unter dem Erhaltungs-Minimum. Es droht somit in absehbarer Zeit eine Hungersnot. In den feindbesetzten Gebieten besteht sie bereits.

I. Ernährungslage

Im einzelnen werden zur Erleichterung der Ernährungslage folgende Richtlinien herausgegeben.
Als in großen Mengen greifbare, somit für die Volksernährung wichtige neuartige Nahrungsmittel kommen in Frage:

1. **Raps, Rapskuchen und Rapsextraktionsschrot.** In gleicher Weise wie Raps sind **Mohnkuchen, Leinsamen** verwendbar. Hierbei Entbitterung nicht erforderlich.

2. **Streckung des Brotes** durch Ballaststoffe wie Baumflechten, Sägemehl, Baumrinde nicht zu empfehlen ...

3. **Kastanien** enthalten wertvolle Stärke.

4. **Eicheln** werden zweckmäßig geröstet und dann als Getränk (Eichelkaffee) benutzt.

5. **Zucker- und Runkelrüben** stellen Massengemüse dar. Ertrag je Flächeneinheit sehr hoch, deshalb Anbau auch im Gartengelände zu empfehlen.

6. Weitere Massengemüse sind **Seradella, Klee, Luzerne,** wenn jung geschnitten. Diese Pflanzen können, wenn sie immer jung geschnitten werden, mehrfach geerntet werden.

7. Für den Haushalt kommt die Sammlung von **Wildpflanzen, Wildbeeren, Wurzeln und Pilzen** in Frage.

8. **Verbesserung der Eiweißgrundlage** durch **Schlachtung aller greifbaren warmblütigen Tiere** oder durch **Sammlung niederer Wildtiere,** z. B. Fische jeder Art, Frösche (Fang mit bunten Lappen, die im Wasser am Ufer entlanggezogen werden), Schnecken (Fang durch Benetzen von Stroh mit gärender oder faulender Masse, evtl. süßen Produkten, z. B. Melasse, Obstresten).

9. **Verbesserung der Vitaminversorgung** durch Aufbrühung von **Kiefer- und Fichtennadel-Jungtrieben,** einen Tag stehenlassen. Wirksam gegen Skorbuterkrankungen.

II. Organisatorische und therapeutische Richtlinien

1. . . .

2. **Hungerödeme** werden in den nächsten Monaten in großem Maße auftreten.
Behandlung: a) absolute Bettruhe,
b) kalorien- und eiweißreiche Ernährung, **wenn möglich.**

III. Hygienische Grundbedingungen beim Ausfall aller zivilisatorischen Einrichtungen oder beim Leben in freier Natur

1. **Sauberhaltung des Wassers.**

2. **Strenge Beachtung der Freihaltung** aller Wasserstellen von menschlichen Ausscheidungen und Abfällen. Diese müssen sofort, auch in den Städten, vergraben werden.

3. **Leben in Kellern und Erdhütten.** Feuchte Luft beim Einatmen vorwärmen durch Umhüllung des Kopfes mit lockerem Tuch. Auslüften und Austrocknen der Kleider, sooft irgend angängig.

Einrichtung von Erdhütten: Eingang auf der nicht unter dem Winde liegenden Seite anlegen. Abdecken und Abdichten mit Reisig, Laubwerk, im Innern Einbringen eines Bodenschutzes (Laubwerk, Holz usw.) als Lager.
Spaten und Pickel sind für den in freier Natur und in Trümmerstätten lebenden Menschen wichtigste Werkzeuge, sowohl zur Beschaffung von Nahrung wie zur Erstellung von Notbehausungen und zur Beseitigung von Abfällen. Feueranmachen mit Brenngläsern oder durch Abschießen von Patronen, aus denen das Geschoß vorher entfernt wurde.

◁ 75 *So hatten sie ihr München in Erinnerung, als sie vor dem Bombenhagel geflohen waren. Flammen am Königsplatz.*

76 *Hunger, Not und Elend – Kinder als Opfer des Krieges, die ihre Eltern auf der Flucht und durch Bomben verloren haben ... Allein gelassen ...*

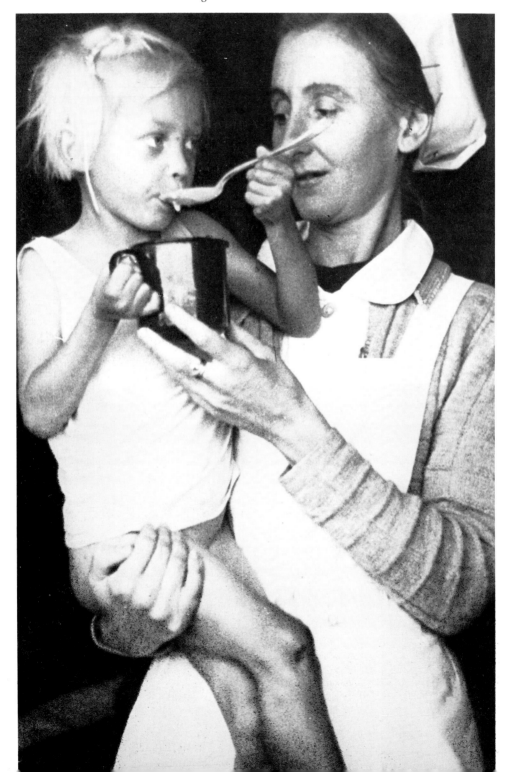

77 *Kinder nach der Flucht in Barackenlagern unterge-*
bracht

78 *Flüchtlingslager in München – 1945 –. Fünf Familien*
hausen in einem Raum.

79 *Flüchtlingskinder aus dem Osten, armselig untergebracht.*

Die Amtszeiten des Bestattungsamtes wurden bei Bedarf verlängert.

München wurde jetzt zur einzigen deutschen Stadt, in der es in den letzten Kriegstagen zu einer größeren geschlossenen Aktion gegen die nationalsozialistische Herrschaft kam. Hauptmann Gerngross, der Chef der Dolmetscherkompanie VII, hatte einen Widerstandskreis gebildet, der sich vornahm, die NS-Machthaber festzunehmen, die militärischen Befehlshaber auszuschalten, die Münchner Sender zu besetzen, die Soldaten zur Waffenniederlegung aufzufordern und Reichsstatthalter Ritter von Epp zur Aufnahme von Kapitulationsverhandlungen zu zwingen. Die Stadt München sollte so vor noch weiterer Zerstörung bewahrt bleiben, Menschenleben sollten gerettet werden. Vor allem aber wollte man ein sichtbares Zeichen setzen: Die Welt sollte sehen, daß es noch Deutsche gab, die zu aktivem Widerstand bereit waren.

Die «Freiheitsaktion Bayern» konnte zwar die Sender Erding und Freimann besetzen, sie aber nur wenige Stunden halten. Die «Fasanenjagd» – so das Stichwort der Freiheitsgruppe – gelang nicht. Die braunen Machthaber blieben in ihren Ämtern, vierzig der Widerstandskämpfer wurden sofort erschossen, – davon 16 allein in Penzberg – Hauptmann Gerngross konnte entkommen.

Als am 30. April 1945 die Amerikaner einrückten, fanden sie eine Ruinenstadt vor. Zwei Fünftel aller Bauwerke lagen in Schutt und Asche. In den Straßen türmten sich die Trümmer. Ganze Stadtviertel waren fast menschenleer.

80 *Sender Erding – über ihn rief der Kreis um Hauptmann Gerngross zum Widerstand auf. Die «Freiheitsaktion Bayern» mißlang.*

1939 hatte München 853000 Einwohner, jetzt waren es noch 501145 Menschen. Von den 257000 Wohnungen bei Kriegsbeginn gab es noch 175000, von denen jedoch etwa achtzig Prozent schwere Schäden erlitten hatten. Von 170 katholischen Kirchen und Kapellen standen noch 74, aber auch sie waren nicht unversehrt. Ebenso zerstört waren die evangelischen Kirchen. 1622mal hatten die Sirenen geheult. Zwischen dem 4. Juni 1940 und dem 29. April 1945 hatte es 74 Fliegerangriffe gegeben, bei denen nach Aufzeichnungen der Stadt 453 Minen, 60766 Sprengbomben, 142514 Phosphor- und Flüssigkeitsbrandbomben und 3315300 Stabbrandbomben abgeworfen worden waren.

6632 Münchner hatten dabei ihr Leben verloren, darunter waren 435 Kinder. Etwa 15800 Menschen wurden verletzt. Nicht mit Zahlen zu belegen ist die Anzahl der Münchner, die unter den seelischen Belastungen der damaligen Zeit noch heute leiden und von Angstträumen geplagt aus dem Schlaf aufschrecken.

81 *Kampf gegen den Tod: Karl Nakel – Sprengmeister, Feuerwerker – entschärft hier in 4 m Tiefe eine Bombe.*

Karl Nakel, Jahrgang 1917, Sprengmeister, Feuerwerker, entschärfte während des Zweiten Weltkrieges sechstausend Bomben. Dieser Arbeit ging eine Ausbildung auf der Feuerwerkerschule voraus. Danach arbeitete er in Munitionsanstalten:

«Die weitere Ausbildung hatte ich 1939 in Halle an der Saale. Dort erlernten wir, wie die Bomben, Sprengstoffe und Zünder zusammengesetzt sind. Neue Erkenntnisse gaben sich die Feuerwerker untereinander weiter. Tauchte etwa ein neuer Zünder auf, wurde er ins Reichsluftfahrtministerium geschickt, dort analysiert und sofort im Schnitt gezeichnet. Am nächsten Tag hatten wir die Zeichnung und wußten, wie der Zünder funktioniert. Jeder Feuerwerker mußte sich dann überlegen, wie der Zünder auszubauen ist.

Am 1. Oktober 1940 fing meine Tätigkeit in München in der Luftzeuggruppe an. Das war eine Nebenstelle des Luftgaukommandos. Ich war 23 Jahre alt. Zunächst hatte ich den Nachschub von Abwurfmunition zur Südfront (Afrika) zu organisieren.

Am 8. November 1940 fielen Bomben auf München. Es waren nicht nur Bomben zu entschärfen, sondern auch die abgeschossenen Flugzeuge. Zuerst holten wir die Munition heraus. Dann konnten erst die Verletzten und Toten geborgen werden.

82 *Trotz «Annahme verweigert» wird die 2000kg Bombe von Karl Nakel entschärft.*

Ld. Nr.	Bombenart	Ort - Straße	Abwurf-Tag	Beseit.-Anfang	Beseit.-Tag	Zünder	Beseitigungs-art	Bemerkung	Punkte
								Übertrag	1392
716 717 718	3 MC 1000 Lb	Flugplatz Oberwiesenfeld Nord	17.12. 2155	19.12.	19.12.	Lzz 53	Rat. Sprgn.	Zerscheller	39
719	1 MC 1000 Lb	Hackenstr. 6	17.12.	19.12.	19.12.	Lzz. 37	Rat. Sprgn.	Zersch.	13
720	1 MC 1000 Lb	Hotterstraße 7	17.12.	19.12.	19.12.	Lzz. 37	Rat. Sprgn.	Zerscheller	13
721	1 MC 1000 Lb	Bavariaring	17.12.	20.12.	20.12.	Lzz. 53	Rat. Sprgn.	Zersch.	9
722	1 MC 1000 Lb	Erzgießerstr.	17.12.	20.12.	20.12.	Lzz. 53	Rat. Sprgn.	- " -	9
723 724	2 MC 1000 Lb	Mü. Hauptbahnhof	17.12.	19.12.	20.12.	Lzz. 53 Lzz. 53	Rat. Sprgn.	- " -	9 9
725	1 MC 1000 Lb	Mü. Ferd. Millerpl.	17.12.	20.12.	20.12.	Lzz. 37	Rat. Sprgn.	- " -	9
726	1 MC 1000 Lb	Mü. Schlörstr. 6	17.12.	22.12.	22.12.	Lzz. 53	Rat. Sprgn.	Zersch.	9
727	1 GP 500 L	Mü. Engl. Garten Milchhäusel	7.12.	8.12.	8.12.	Cg. 30	entschärft		3
									1514

Waffen-Amtmann u.
Sprengkommandoführer

83 Auszug aus dem Buch «Sprengbombenbeseitigung», das Karl Nakel über seine Arbeit führte.

Viele Piloten waren bereits tot. Am Kriegerdenkmal in Gauting war seinerzeit ein Pilot im Bordkranz seines Flugzeuges eingeklemmt. Er war schwer verletzt. Ich mußte unter ihm die Bomben erst mal unschädlich machen, also den Zünder ausbauen.

Mein Bereich ging von Koblenz bis Passau, an der Donau entlang, und bis an die Po-Linie – nach Italien hinunter. München war mein Sitz. Wenn in München nichts zu tun war, wurden wir weiter vermittelt und gaben Unterricht im Bombenentschärfen, und zwar in Berlin, Hamburg, Dresden, Düsseldorf.

1942/43 verunglückten die ersten Feuerwerker während ihrer Arbeit.

Die amerikanischen Bomben hatten besondere Zünder und eine spezielle Machart: Der Zünder hatte eine Ausbausperre. Ich hatte dazu eine Methode entworfen, nach der entschärften auch die Kollegen. Auch das Reichsluftfahrtministerium war davon unterrichtet. Einmal lag ich im Krankenhaus mit einer starken Krätze. Ich hatte nämlich in der Sendlinger Straße in der Kloake eine Bombe entschärft, und dabei war der Taucheranzug undicht gewesen.

Im Erdinger Moor war ein Scheinflughafen in «bombenlosen» Zeiten aufgebaut worden. Er galt als Ablenkungsmanöver für angreifende Flugzeuge. Flugzeuge ohne Motoren wurden dort aufgestellt.

104

84 Solln Johannesstraße – Die Bombe wird hochgehievt.
    Zum Bombenentschärfen wurden im Krieg KZ-Häft-
    linge (Politische Gefangene) eingesetzt.

85 Die Bombe wurde herausgezogen – der Zünder ist ver-
    klemmt – anschließend wird sie in einem Feld
    gesprengt.

Unsere Arbeit war lebensgefährlich. Während der
ersten zehn Bomben hat jeder Angst. Bombenentschärfen kann aber auch zur Leidenschaft werden.
Wir Feuerwerker haben untereinander gewetteifert,
wer mit dem wenigsten Werkzeug die gefährlichsten
Zünder herausbringt.

Die Engländer warfen Bomben mit Langzeitzün-
dern, die mit Verzögerungen von einer halben
Stunde bis einer Stunde oder sogar erst nach 144
Stunden explodierten. Es gab Bomben, die erst nach
zwei bis drei Wochen hochgingen. Ansonsten war
meine Spezialaufgabe, Bahnlinien und Flugplätze
von Bomben freizumachen. Ich habe während einer
Nacht die Startbahn am Fliegerhorst in Neuburg
freigemacht, die nächste Nacht in Innsbruck. Wir
sind manchmal sechs Tage lang nicht aus den Klei-
dern gekommen. An einem Heiligabend entschärfte
ich sechsundvierzig Bomben. Dadurch konnten die
Menschen Weihnachten noch in ihre Wohnungen.
Ich kenne München von oben bis unten. Wir haben
oft unser Leben riskiert – nehmen wir als Beispiel
die Asamkirche, die Margaretenkirche in Sendling
oder die Kanalisation. Oft mußten wir, an den Füßen aufgehängt, mit dem Kopf nach unten Bomben
entschärfen. Dann gab es Lehmgebiete, da ging die
Bombe vier Meter hinunter, da mußten wir im Fin-
stern die Bombe entschärfen. Man war schon im
Grab drin. Bei jeder Bombe machte man die Erken-
nungsmarke und den Ehering ab – und ließ alles im
Auto. Dann ging es an die Bombe, es war ein be-
wußtes Sterben.

Ein andermal wurde an Rommel nach Afrika Spe-
zialmunition geschickt. Oberhalb von Bozen ist
die Maschine in den Dolomiten gegen einen Berg
geprallt. Ich bekam den Auftrag, die Maschine mit
der Besatzung in die Luft zu sprengen. In München saßen in einem Keller am Pariser Platz vierzig Tote – zwischen ihnen entschärfte ich eine
Bombe. Ich arbeitete im Hofgarten und in der In-
golstädter Landstraße, dort war ein Feuerwerker
zerfetzt worden.
Wir hatten bei unserer Arbeit KZ-Häftlinge. (Politische Häftlinge). Wenn ich in der Früh ins Konzentrationslager Dachau kam und sagte, daß ich zwölf
Häftlinge brauche, sind hundert aus den Reihen ge-
treten. Ich galt als Feuerwerker, dem nichts passiert.»

„Ich habe meine Pflicht getan."

Zum Andenken

an unseren lieben, unvergeßlichen
Sohn, Bruder, Enkel, Neffen und
Bräutigam

Walter Heyl

Oberfeuerwerker der Luftwaffe

Inh. des EK 2. Kl. und des Ver-
dienstkreuzes mit Schwertern

welcher am 17. Juli 1944 in Aus-
übung seines gefahrvollen Dien-
stes, beim Entschärfen feindlicher
Langzeitzünder, im Alter von 25
Jahren gefallen ist.

Ω 0169

87 *30. April 1945: die Amerikaner rücken in München ein. Szene aus der Bayerstraße. Ende des Krieges ... Die Stunde 0 hat begonnen ... Grundprinzip Hoffnung ...*

88 *Amerikanischer Soldat in Siegerpose vor dem Siegestor. Am gleichen Tag, als München, die «Hauptstadt der Bewegung», eingenommen wurde, nahm sich Hitler im Bunker unter der Reichskanzlei in Berlin das Leben.*

91 *Und immer wieder neue Plakate und Bekanntmachungen*

◁   90 *Münchener kehren heim. Sie waren wegen der schweren Bombenangriffe evakuiert worden.*

109

92 *Der Schwarzhandel «blüht» vor der zertrümmerten Vergangenheit*

93 *Die ersten Rationen nach dem Krieg*

94 *Der Bayerische Rundfunk: erste Orchesterproben (kleines Foto rechts).*

95 *Gleich nach dem Krieg werden ausgediente deutsche und amerikanische Funk-
geräte «ausgeschlachtet» und zu neuen zusammengebastelt.*

96 *Hörspielproben im Bayerischen Rundfunk. v. l. Charles Regnier,
Regisseur Josef Strobl, Paul Dahlke, Fritz Benscher*

97 *Jimmy Jungermann – Leiter der Abteilung Tanzmusik – beginnt mit Jazz-Sendungen*

98 *Chor der Gefangenen in der Oper «Fidelio» – erste Aufführung der Bayerischen Staatsoper im Winter 1945/46 im Prinzregententheater*

Zeittafel

1933

30. 1. Hindenburg beruft Hitler zum Reichskanzler.

24. 3. Ermächtigungsgesetz. Gesetze können
von der Reichsregierung ausserhalb
des in der Verfassung vorgesehenen
Verfahrens und von der Verfassung ab-
weichend erlassen werden.

1. 4. Organisierung des Boykotts jüdischer
Geschäfte.

28. 4. Errichtung des Reichsluftfahrtministeriums.

29. 4. Gründung des Reichsluftschutzbundes.

2. 5. Aufhebung der Gewerkschaften – Bil-
dung der Deutschen Arbeitsfront.

Juni/Juli Auflösung der Parteien.

14. 7. Gesetz gegen die Neubildung von Parteien.

19. 10. Austritt aus dem Völkerbund.

12. 11. Reichstagswahlen. 92 Prozent für die
Einheitsliste der NSDAP.

1934

30. 1. Gesetz über den «Neuaufbau des Reiches». Die Volksvertretungen der Länder werden aufgehoben.

16. 6. München: Im Löwenbräukeller Einführung aller Werk- und Luftschutzwarte der Stadt in die Aufgabe des
Luftschutzes.

30. 6. «Röhm-Putsch»

2. 8. Hindenburg stirbt. Die Befugnisse des
Reichspräsidenten gehen auf den
«Führer und Reichskanzler Adolf Hitler» über. Vereidigung der Wehrmacht
auf Hitler.

1935

13. 1. Rückgabe des Saargebiets an Deutschland.

16. 3. Einführung der allgemeinen Wehr-
pflicht.

26. 6. Erlaß des Luftschutzgesetzes. § 2:
«Alle Deutschen sind zu Dienst- und
Sachleistungen sowie zu sonstigen
Handlungen, Duldungen und Unterlassungen verpflichtet, die zur Durchführung des Luftschutzes erforderlich
sind.»

15. 9. Nürnberger Gesetze: Gesetz zum
Schutz des deutschen Blutes und der
deutschen Ehre.

1936

7. 3. Kündigung des Vertrages von Lo-
carno. Besetzung des entmilitarisier-
ten Rheinlands durch deutsche Truppen.

13. 7. Beginn des Spanischen Bürgerkrieges.

1. 8. Eröffnung der Olympischen Spiele in
Berlin.

September/
Oktober München: Oktoberfest mit einheitli-
cher Hakenkreuzbeflaggung. Weiß-
blaue und schwarz-gelbe Fahnen verboten.

1937

30. 1. München: Geheime Reichssache:
Pläne der Stadtverwaltung für den
Luftschutz und das Bestattungswesen.

4. 3. Papst Pius XI. nimmt in der Enzyklika
«Mit brennender Sorge» gegen die na-
tionalsozialistische Kirchenpolitik
Stellung.

4.5.	Erste Ausführungsbestimmungen zum § 1 der Zweiten Durchführungsverordnung zum Luftschutzgesetz. «Schutzräume sind im gesamten deutschen Reichsgebiet zu schaffen.»
30.5.–6.6.	In allen Lichtspieltheatern des Deutschen Reiches wird die Schallplatte «Fliegeralarm und Entwarnung durch Großalarmgeräte» eingesetzt.
5.10.	Unter dem Eindruck des Spanischen Bürgerkrieges und des japanisch-chinesischen Krieges wendet sich US-Präsident Roosevelt gegen Luftangriffe auf Frauen und Kinder.
22.10.	München: Oberbürgermeister Fiehler ordnet die Entrümpelung aller stadteigenen Wohn- und Dienstgebäude an.
5.11.	Hossbachprotokoll: Hitler will «deutsche Raumnot» durch Gewalt lösen.
1.12.	München: Oberbürgermeister Fiehler ordnet Verdunklungsmaßnahmen an.

1938

4.2.	Hitler macht sich zum Oberbefehlshaber der deutschen Wehrmacht.
8.3.	Beginn der Ausgabe von Volksgasmasken.
13.3.	Österreichs Anschluß an das Reich.
29./30.3.	München: Luftschutz- und Verdunklungsübungen.
29.9.	Münchner Abkommen. Vertrag zwischen Hitler, Chamberlain, Daladier und Mussolini zur Lösung der tschechoslowakischen Krise.
1.10.	Deutsche Truppen marschieren ins Sudetenland ein.
9.11.	Reichskristallnacht. Synagogenbrände und Ausschreitungen gegen Juden.
24.11.	München: Alle achten Klassen schreiben Berichte über Luftschutzübungen.

1939

15.3.	Einmarsch in Böhmen und Mähren. Bildung des Reichsprotektorats.
23.3.	Einmarsch deutscher Truppen ins Memelgebiet.
31.3.	Großbritannien verspricht Polen Beistandspakt.

22.5.	Pakt zwischen Deutschland und Italien.
24.5.	Reichsluftschutzschule in Berlin eröffnet.
23.8.	Deutsch-sowjetischer Nichtangriffspakt.
1.9.	Deutscher Angriff auf Polen.
3.9.	Großbritannien und Frankreich erklären Deutschland den Krieg.
5.9.	Göring ruft zum Luftschutz auf.
8.11.	Mißglücktes Attentat auf Hitler im Münchner Bürgerbräukeller.

1940

10.3.	München: Britische Flugzeuge über der Stadt. Erster Luftangriff (Leuchtbomben).
9.4.	Besetzung von Dänemark und Norwegen.
10.5.	Einmarsch deutscher Truppen in Holland, Belgien und Frankreich.
10.5.	Churchill wird britischer Premierminister.
4.6.	Deutsche Truppen nehmen Dünkirchen ein und machen im Westen insgesamt 1,2 Millionen Kriegsgefangene.
4.6.	München: Luftangriff (10 Spreng-, 2 Phosphor- und Flüssigkeitsbrandbomben).
5.6.	Luftangriff (13 Spreng-, 20 Phosphor- und Flüssigkeitsbrandbomben).
10.6.	Italien tritt in den Krieg ein.
22.6.	Frankreich schließt Waffenstillstand.
13.8.	Beginn der Luftschlacht um England.
28.8.	Erster größerer britischer Luftangriff auf Berlin.
2.9.	München: Luftangriff (3 Sprengbomben)
6.9.	Luftangriff (Leuchtbomben)
27.9.	Dreimächtepakt Deutschland–Italien–Japan unterzeichnet.
8.11.	München: Luftangriff (49 Spreng-, 400 Stabbrandbomben).
14.11.	Deutscher Luftangriff auf Coventry.
25.11.	Arthur T. Harris wird stellvertretender Oberbefehlshaber der britischen Bomber-Flotte.

1941

1.1.	Verordnung über Pflichtdienst in der Hitlerjugend und verschärfte Erfassung der Jugendlichen im Dienste der Landesverteidigung.
26.3.	Deutscher Einmarsch in Jugoslawien.
31.3.	General Rommels «Deutsches Afrika-Korps» greift in Nordafrika ein.
6.4.	Besetzung Griechenlands.
10.5.	Der «Stellvertreter des Führers» Rudolf Hess fliegt nach England.
22.6.	Deutscher Angriff auf die Sowjetunion.
14.8.	Roosevelt und Churchill verkünden die Atlantikcharta mit den Kriegszielen der Alliierten.
17.11.	Generalluftzeugmeister Udet begeht Selbstmord.
11.12.	Deutsch-italienische Kriegserklärung an die USA.

1942

1.1.	Alle Skisportveranstaltungen werden abgesagt. Alle Skier sind für die Truppen im Osten abzugeben.
20.1.	Wannseekonferenz: Die Nationalsozialisten beschließen die «Endlösung der Judenfrage».
5.2.	Reichsjugendführer Axmann proklamiert den verstärkten Kriegseinsatz der Hitlerjugend.
22.2.	Marshall Harris übernimmt das volle Kommando über die britische Luftflotte.
1.4.	Zigeuner werden den Juden gleichgestellt.
30./31.5.	Erster Flächenangriff der RAF auf Köln.
29.8.	München: Luftangriff (23 Phosphor- und Flüssigkeitsbrandbomben)
20.9.	Luftangriff «55 Minen-, 26 Spreng-, 314 Phosphor- und Flüssigkeitsbrand-, 5000 Stabbrandbomben)
22.11.	6. Armee in Stalingrad eingeschlossen.
21.12.	München: Luftangriff (14 Minen-, 48 Spreng-, 172 Phosphor- und Flüssigkeitsbrand-, 5800 Stabbrandbomben)

1943

27.1.	Erlaß einer Meldepflichtverordnung: Männer zwischen 16 und 65 und Frauen zwischen 17 und 45 Jahren haben sich bei den Arbeitsämtern zu melden und für Aufgaben der Reichsverteidigung zur Verfügung zu stehen.
27.1.	Erster größerer amerikanischer Luftangriff Ziel Wilhelmshaven.
31.1.	Kapitulation in Stalingrad.
11.2.	Einberufung aller höherer Schüler ab 15 Jahren als Flakhelfer.
9.3.	München: Luftangriff (76 Minen-, 99 Spreng-, 786 Phosphor- und Flüssigkeitsbrand-, 70000 Stabbrandbomben)
17.4.	Luftangriff (2 Minenbomben)
13.5.	Kapitulation des Deutschen Afrika-Korps: 130000 deutsche Soldaten gehen in Gefangenschaft.
17.7.	München: Luftangriff (4 Sprengbomben)
25.7.	Mussolini gestürzt und interniert.
18.8.	Selbstmord des Generalstabschefs der Luftwaffe, Generalobert Jeschonnek.
2.9.	Konzentration der Kriegswirtschaft im Reichsministerium für Rüstung und Kriegsproduktion unter Speer.
6./7.9.	München: Luftangriff (73 Minen-, 269 Spreng-, 6000 Phosphor- und Flüssigkeitsbrand-, 180000 Stabbrandbomben)
8.9.	Italien kapituliert.
2.10.	München: Luftangriff (78 Minen-, 309 Spreng-, 7000 Phosphor- und Flüssigkeitsbrand-, 190000 Stabbrandbomben)
8.10.	Luftangriff: (3 Sprengbomben)
28.11.	Beginn der Konferenz von Teheran.

1944

16.2.	Aufruf an die deutschen Pensionäre zum «freiwilligen Ehrendienst in der deutschen Kriegswirtschaft».
18.3.	München: Luftangriff (339 Spreng-, 84 Phosphor- und Flüssigkeitsbrandbomben)
20.3.	Luftangriff (3 Sprengbomben)

25.4.	Luftangriff (85 Spreng-, 25249 Phosphor- und Flüssigkeitsbrand-, 550000 Stabbrandbomben)
4.6.	Einmarsch der Alliierten in Rom.
6.6.	Beginn der Invasion der Alliierten in der Normandie.
9.6.	München: Luftangriff (1517 Spreng-, 247 Phosphor- und Flüssigkeitsbrandbomben)
13.6.	Beginn der Beschießung Londons durch die V 1.
13.6.	München: Luftangriff (3279 Spreng-, 1009 Phosphor- und Flüssigkeitsbrandbomben)
13./14.6.	Luftangriff (76 Spreng-, 119 Phosphor- und Flüssigkeitsbrandbomben)
11.7.	Luftangriff (6310 Spreng-, 22800 Phosphor- und Flüssigkeitsbrand-, 320000 Stabbrandbomben)
12.7.	Luftangriff (9410 Spreng-, 31400 Phosphor- und Flüssigkeitsbrand-, 400000 Stabbrandbomben)
13.7.	Luftangriff (2090 Spreng-, 17000 Phosphor- und Flüssigkeitsbrand-, 250000 Stabbrandbomben)
16.7.	Luftangriff (3760 Spreng-, 11250 Phosphor- und Flüssigkeitsbrand-, 125000 Stabbrandbomben)
19.7.	Luftangriff (2500 Spreng-, 157000 Stabbrandbomben)
20.7.	Vergebliches Attentat auf Hitler.
21.7.	München: Luftangriff (900 Spreng-, 800 Phosphor- und Flüssigkeitsbrand-, 35000 Stabbrandbomben)
31.7.	Luftangriff (2650 Spreng-, 540 Phosphor- und Flüssigkeitsbrand-, 180000 Stabbrandbomben)
2.8.	Alle Reichsmeisterschaften im Sport werden eingestellt.
10.8.	Schließung der Theater.
25.8.	Paris ergibt sich den Amerikanern.
4.9.	Weitgehende Einschränkung des Personenzugverkehrs.
10.9.	München: Die Stadt wird mit Bordwaffen beschossen.
12.9.	Luftangriff (138 Sprengbomben)
22.9.	Luftangriff (3606 Sprengbomben)
25.9.	Bildung des deutschen Volkssturms verkündet. Alle «waffenfähigen Männer von 16 bis 60 Jahren» werden zum Wehrdienst verpflichtet.
4.10.	München: Luftangriff (2300 Sprengbomben)
8.10.	Alliierte Verbände erreichen die deutsche Westgrenze und beginnen mit der Einschließung Aachens.
16.10.	Sowjetische Truppen dringen in Ostpreußen ein.
21.10.	Sowjetisches Massaker im ostpreußischen Nemmersdorf.
28.10.	München: Luftangriff (34 Sprengbomben)
29.10.	Luftangriff (1400 Spreng-, 2000 Stabbrandbomben)
3.11.	Luftangriff (98 Sprengbomben)
4.11.	Luftangriff 2000 Spreng-, 10000 Stabbrandbomben)
16.11.	Luftangriff (2650 Sprengbomben)
20.11.	Hitler verläßt sein Hauptquartier Wolfsschanze in Ostpreußen.
25.11.	München: Luftangriff (120 Sprengbomben)
27.11.	Luftangriff (1690 Spreng-, 14000 Phosphor- und Flüssigkeitsbrand-, 95000 Stabbrandbomben)
30.11.	Luftangriff (18 Sprengbomben)
15.12.	Churchill erklärt vor dem britischen Unterhaus, daß er die Vertreibung der Deutschen aus den Ostgebieten billige.
16.12.	Beginn der Ardennenoffensive. Der letzte Großangriff deutscher Truppen.
17.12.	München: Luftangriff (75 Minen-, 110 Spreng-, 3000 Phosphor- und Flüssigkeitsbrand-, 75000 Stabbrandbomben)

1945

7.1.	München: Luftangriff (80 Minen-, 1040 Spreng-, 400000 Stabbrandbomben)
4.2.	Beginn der Konferenz von Jalta. Die Alliierten beschließen die Aufteilung Deutschlands in Besatzungszonen.
22.2.	München: Luftangriff (5 Sprengbomben) und Bordwaffenbeschuß.
25.2.	Luftangriff (6000 Spreng-, 250000 Stabbrandbomben)
28.2.	Luftangriff (3 Sprengbomben)
23.3.	Britische Truppen gehen über den Rhein

23. 3.	München: Die Stadt wird mit Bordwaffen beschossen.
24. 3.	Luftangriff (400 Sprengbomben)
5. 4.	Die Stadt wird mit Bordwaffen beschossen.
9. 4.	Luftangriff (14 Sprengbomben) und Bordwaffenbeschuß.
11. 4.	Luftangriff (9 Sprengbomben) 2. Luftangriff (24 Sprengbomben)
12. 4.	Luftangriff (32 Sprengbomben)
15. 4.	Die Stadt wird mit Bordwaffen beschossen.
17. 4.	Luftangriff (28 Sprengbomben)
19. 4.	Amerikanische Truppen besetzen Leipzig.
19. 4.	München: Luftangriff (5 Sprengbomben) 2. Luftangriff (1000 Sprengbomben)
20. 4.	Luftangriff (8 Sprengbomben) und Bordwaffenbeschuß. 2. Luftangriff (20 Spreng- und 200 Stabbrandbomben) 3. Luftangriff (3 Sprengbomben) 4. Luftangriff (4 Sprengbomben)
21. 4.	Luftangriff (1400 Spreng-, 15000 Stabbrandbomben)
23. 4.	Luftangriff (1 Sprengbombe)
24. 4.	Die Stadt wird mit Bordwaffen beschossen.
25. 4.	Sowjetische und amerikanische Truppen treffen sich an der Elbe.
25. 4.	München: Luftangriff (100 Sprengbomben), 2. Luftangriff mit Bordwaffenbeschuß, 3. Luftangriff (60 Spreng-, 300 Stabbrandbomben)
26. 4.	Luftangriff (4 Sprengbomben) und Bordwaffenbeschuß 2. Luftangriff (6 Sprengbomben) und Bordwaffenbeschuß.
29. 4.	Die Stadt wird mit Bordwaffen beschossen.
30. 4.	Hitler begeht in der Reichskanzlei Selbstmord.
30. 4.	Die Amerikaner besetzen München.
9. 5.	Die bedingungslose Gesamtkapitulation Deutschlands tritt in Kraft.

Literaturverzeichnis

Bardua, H. Stuttgart im Luftkrieg, Stuttgart 1967

Barker, Ralph The thousand plan, The story of the first Thousand Bomber raid on Cologne, London 1965

Bergander, G. Dresden im Luftkrieg, München 1979

Bläsi, Hubert Stadt im Inferno, Bruchsal 1968

Boehm/Spörl Ludwig-Maximilian-Universität-München 1472–1972, Berlin 1972

Brandnacht-Schmidt, K. Dokumente von der Zerstörung Darmstadts, Darmstadt 1964

Broszat/Fröhlich/Grossmann Bayern in der NS-Zeit, München 1981

Brunswig, H. Feuersturm über Hamburg, Stuttgart 1979

Caidin, Martin Black Thursday, New York 1960

Caidin, Martin The night Hamburg died, London 1966

Coffey, Thomas M. Decision over Schweinfurt, New York 1977

Czesany, Maximilian Nie wieder Krieg gegen die Zivilbevölkerung. Eine völkerrechtliche Untersuchung 1939–1945, Graz 1964

Domarus, Max Der Untergang des alten Würzburg im Luftkrieg gegen die deutschen Großstädte, Gerolzhofen 1969

Domarus, Max Der Untergang des alten Würzburg, Würzburg 1982

Euler, Helmuth Als Deutschlands Dämme brachen, Die Wahrheit über die Bombardierung der Möhne-Eder-Sorpe-Staudämme, Stuttgart 1975

Flender, H. M. Der Luftangriff auf Siegen am 16. Dezember 1944, Siegen 1976

Frankland, N. The bombing offiensive against Germany, London 1965

Freeman, Roger The US strategic bomber, London 1975

Girbig, Werner . . . im Angriff auf die Reichshauptstadt, Stuttgart 1970

Gräff, Siegfried Tod im Luftkrieg, Hamburg 1955

Groehler, Olaf Geschichte des Luftkrieges (1910–1970) Berlin/DDR 1975

Günther, Egon Dem Erdboden gleich Halle/Saale

Guptil, Marilla B. Records of the US Strategic Bombing Survey, Washington 1975

Hampe, Erich Der zivile Luftschutz im 2. Weltkrieg, Frankfurt 1963

Hassel von, Ulrich Vom anderen Deutschland, Zürich/Freiburg 1946

Hastings, Max Bomber command, New York 1979

Hausenstein, Wilhelm Licht unter dem Horizont Tagebücher 1942–1946, München 1967

Heller, Joseph Wir bombardieren Regensburg, Hamburg 1969

Hiebl, Otto . . . schön, daß es München gibt, München 1972

Holmsten, Georg Kriegsalltag 1939–1945 in Deutschland, Düsseldorf 1982

Irving, David J. Und Deutschlands Städte starben nicht, Zürich 1963

Irving, David J. Der Untergang Dresdens, München 1977

Jablonski, Edward Doppelschlag gegen Regensburg und Schweinfurt, Stuttgart 1975

Jackson, R. Storm from the skies, London 1974

Jahrbuch der Ludwig-Maximilian-Universität München 1957/1958, München 1957

Janis, Irving L. Air war and emotional stress Psychological studies of bombing and civilian defense, Westport 1976

Klitta, G. Das Finale des 2. Weltkrieges in Schwandorf, Schwandorf 1970

Klöss, Erhard Der Luftkrieg über Deutschland 1939–1945, München 1963

Koch, H. A. Flak, Die Geschichte der deutschen Flak 1935–1945, Bad Nauheim 1954

Koehler, Karl Bibliographie zur Luftkriegsgeschichte, Frankfurt 1966

Kosel, Margret u. Tröndle, Wolfgang München – heute und in «jenen Tagen», Hamburg 1969

Lee, Asher Goering, Airleader, London 1972

Lux, Eugen Die Luftangriffe auf Offenbach 1939–1945, Offenbach 1971

Mac Isaac, David Strategic Bombing in World War Two, New York 1976

Middlebrock, Martin Die Nacht in der die Bomber starben, Stuttgart 1975

Mñačko, L. Die Nacht von Dresden, München 1969

Morrison, Wilbur H. Point of no return, The story of the 20. Air Force, New York 1979

Nadler, Fritz Ich sah wie Nürnberg unterging, Nürnberg 1955

Nalty, B. C. The men who bombed the Reich, New York 1978

Nossack, H. E. Der Untergang, Frankfurt 1976

Piekalkiewicz, J. Luftkrieg 1939–1945, München 1978

Place, G. Les bombardements alliés de 1944 dans le Centre, Haine-Saint-Pierre 1978

Preis, Kurt München unterm Hakenkreuz, München 1980

Prescher, R. Der rote Hahn über Braunschweig Luftschutzmaßnahmen und Luftkriegsereignisse in Braunschweig 1927–1945, Braunschweig 1955

Price, Alfred Bildbuch der deutschen Luftwaffe 1933–1945, Hamburg 1969

Price, Alfred Blitz über England, Stuttgart 1978

Price, Alfred Luftschlacht über England, Stuttgart 1975

Reilly, Robin The sixth floor, London 1969

Rasp, Hans-Peter Eine Stadt für 1000 Jahre, München 1981

Rodenberger, Axel Der Tod von Dresden, Frankfurt 1960

Rumpf, Hand Das war der Bombenkrieg, Oldenburg 1961

Schätz, Ludwig Schüler Soldaten Die Geschichte der Luftwaffenhelfer im 2. Weltkrieg, Frankfurt 1972

Schrott, Ludwig Münchner Alltag in acht Jahrhunderten, München

Seeberger, Kurt u. Rauchwetter, Gerhard München – 1945 bis heute Chronik eines Aufstiegs, München 1970

Smith, Medden The bombing of Dresden reconsidered, Ann Arbor 1971

Soltikow von, Michael Nie war die Nacht so hell, Wörishofen 1953

Steinhilker, Wilhelm Heilbronn, Heilbronn 1961

Tunley, Raoul Ordeal by fire, Cleveland 1966

Verrier, A. Bombenoffensive gegen Deutschland 1939–1945, Frankfurt 1970

Weidauer, Walter Inferno Dresden, Berlin 1966

Wiener, L. Schweinfurt sollte sterben, Schweinfurt 1916

Zijlstra, Gerrit Diary of an air war, New York 1977

Zimmering, Max Phosphor und Flieder Vom Untergang und Wiederaufstieg Dresdens, Berlin 1956